典藏

繆思
談片
漢寶德
三談博物館

漢寶德 著
黃健敏 主編

目錄 INDEX

上篇──博物館談片

上篇——博物館談片

01《博物館談片》再版序

——

　　我認識漢先生最初是在中國生物學會的一個演講會上，那時他是「國立自然科學博物館籌備處」的籌備主任，正在籌備興建科學博物館，所以學會在一年一度的大會時，邀請他演講「科學博物館在我國的重要性」。當時在聽完他的演講後，我覺得他和別的演講人不一樣，他的演講資料準備充足，舉凡法國、英國、德國、日本等科學博物館資料他都如數家珍，同時他也特別提出他自己對我國應有哪種博物館提出構想與看法，這點最難得。所以會後，我特別向他恭賀，希望他一切順利，同時說：「機會不會偏愛哪個人？但是對特別有準備的人是會偏心的。」我認為他的計劃一定會順利與成功。

　　事後果如我料，當時我們國家雖然在十二項建設下，預計在北中南建設三大國家博物館，但是漢先生在台中籌建的自然科學博物館是第一個由經建會同意撥款興建的。同時也因為這個博物館的第一、第二期開幕及三、四期後續計畫開展成功，才開啟了我們現代公私立博物館的新興事業。

漢先生不只是一位懂得東西方建築學的工程師，同時他對古今中外的藝術也非常專精，所以他在《聯合報》以「也行」──表示什麼都行[1]，為筆名寫專欄，能在大報副刊上寫專欄的作家，對我們博物館同仁說的話，是值得我們一讀再讀的經典之作，所以本館願意在此再版此書，以饗更多的讀者。

國立自然科學博物館館長[2]

民國 88 年 3 月 10 日

《博物館談片》書影。

編註

1　漢先生的筆名「也行」乃源自師母蕭中行之名，另外他亦以女兒名字漢可凡的可凡為筆名，在《中華日報》副刊撰寫文物專欄。

2　國立自然科學博物館歷任館長：

屆次	任期	館長	備註
1	1987/02-1995/06	漢寶德	
2	1995/07-1996/08	李家維	
	1996/09-1997/10	彭鏡毅	代理館長
3	1997/10-2002/01	周延鑫	
	2002/02-2002/07	謝豐國	代理館長
4	2002/07-2005/07	李家維	
	2005/07-2006/05	周文豪	代理館長
5	2006/05-2008/05	林宗賢	
	2008/05/-2008/7	周文豪	代理館長
6	2008/08-2011/01	張天傑	
7	2011/01-2019/01	孫維新	
	2019/01-2019/02	周文豪	代理館長
8	2019/02-2021/04	孫維新	
	2021/04-2021/07	黃文山	代理館長
9	2021/08-	焦傳金	

國立自然科學博物館。

國立自然科學博物館。

02 《博物館談片》初版序

——

　　本書係漢寶德先生擔任國立自然科學博物館館長任內，在《博物館學季刊》所撰寫之「論評」結集而成，所收文章自民國76年元月之創刊號起，迄民國84年4月止，計34篇。

　　《博物館學季刊》係採專題編輯方式，專題內容涵蓋博物館的宗旨和功能，從收藏、研究、展示、教育四個方面，探討博物館的過去、現在與未來。漢先生的「論評」置於每期首頁，每篇約一千字，言簡意賅，其功能宛如開宗明義的摘要，具有為每個專題內容畫龍點睛的效果。本館出版此書一方面是希望讓零散各期的論評得現全貌，方便讀者瞭解漢前館長的治館理念與教育哲學，另一方面是紀念漢館長與國立自然科學博物館的這段因緣。當然，這本書也該是博物館同仁必讀的教材。

李家維

民國84年於
國立自然科學博物館

漢寶德擔任博物館學會理事長時出版的「博物館利用叢書」十冊中的六本書影。

03 《博物館談片》作者序

——

　　這本書是發表在《博物館學季刊》上的論評集子。自第一期到我卸任館長前，《博物館學季刊》出版了九卷二期，除了二卷一期轉載了我為《中央日報》寫的一篇文章，及八卷一期刊載了我在科博館舉辦的國際討論會上的講辭外，每期我都就該期之專題寫一點意見或感想印在第一頁。卸任後，科博館就把它集起來，出版為一個小冊子。因為每篇文章都很短，只有一千多字（我習慣寫兩張稿紙），所以起意出書的張譽騰博士，名之為「談片」，片者，既薄且小之意也。

　　《博物館學季刊》之出版是在一次早餐會報中談起而產生的，民國 75 年春，第一期開館營運，雖然經營相當順利，但同仁們頗感博物館之事業是繁重而艱難的，國內既無大學設立博物館學科之系所，又無任何出版物可資參考。過去雖有少數舊作，大多對現代博物館缺乏深切的體會，其內容很難搔到癢處。為了經常溝通意見，解決困難，一級主管每週共進早餐一次，經過數次討論，咸感同仁有研讀、進修的必要，遂決定出版一刊物1，刊載國外有關雜誌上重要論著之翻譯，供同仁參考，希望隨著國內現代博物館經驗的成長，逐漸增加國人自己的寫作。

　　由創刊開始至今已 34 期了，《博物館學季刊》已成為國內博物館同業的主要參考資料來源。我的「談片」反映了

近十年間，我在博物館工作經驗上觀察所得的一鱗半爪，如果對博物館界的朋友們有一點啟發，我就很滿意了。

漢寶德

民國 84 年夏於
國立台南藝術學院籌備處

漢寶德身影。

編註

1　漢先生在不同的職務莫不致力創辦刊物闡釋其理念，他
　　創辦的刊物計有：
　　《百葉窗》1957/12/10 創刊，台南工學院建築系
　　《建築雙月刊》1962/04 創刊，東海大學建築系
　　《建築與計畫》1969/08/01 創刊，東海大學建築系
　　《境與象》1971/04 創刊，東海大學建築系
　　《博物館學季刊》1987/01，自然科學博物館
　　《藝術觀點季刊》1999/01，台南藝術學院

《建築雙月刊》創刊號。

《建築與計畫》創刊號。

《境與象》創刊號。

《博物館學季刊》。

《藝術觀點季刊》。

一卷

04《博物館談片》發刊辭

——

　　國立自然科學博物館籌備的初期，就提出發展的構想，擬定本館的五項目標，其中一項即博物館學的研究。當時籌備處的同仁認為興建一座具有國際規模的大型科學博物館，國內顯然有人才短缺的問題。基於國家的政策，在比較短的時期內完成，我們不得不借重於國外的專家。籌畫人員雖然有多次出國學習的機會，並且保持與國外博物館專家密切接觸，仍不時感覺依賴外國，不是長遠之計。因此我們覺得發展自己的博物館學的研究，是刻不容緩的。

　　我國並不是沒有博物館，故宮博物院已有數十年的歷史，而且因其收藏而蜚聲國際，即使規模較小的國立歷史博物館、台灣省立博物館及其他專業或文物性博物館，均有相當的成就，但是除了「故宮」以文物的保存為重，性質比較特殊外，大部分的博物館，均因人力與經費方面的短缺，並沒有機會在博物館專門業務方面跟上時代潮流。從業人員有心無力，是我國博物館界面臨的問題。

　　國立自然科學博物館是第一座由政府斥鉅資籌設的計畫，它是著眼於國際水準的，因此參與籌劃的朋友們有幸接觸到現代博物館的思潮，有機會深入地了解現代博物館的作業方式，並長期與國外專家共同工作，感到有一種責任，開拓國內博物館學術的研究。在過去，博物館原是沒有學術可言的，然而最近二十年來，由於國際組織的推動，博物館在

故宮博物院。

國立歷史博物館。

台灣省立博物館（今國立台灣博物館）。

社會文化上所扮演的角色，益見重要。過去由各科專家分庭抗禮所湊成的博物館，已不足以應付現代社會的需要，而必須自博物館的整體著眼，跨越各行各門的界域，開闢出一個新的學域來。這個工作對於本館的同仁是一個挑戰，也是一種義務。當然，這絕不是本館一個單位的責任，而國內從事博物館工作的同業們，都或多或少肩負了這項責任。因此我們決定出版一個刊物，一方面供館內同仁發表研究心得，同時也作為與國內各館同業交換心得的園地。

任何一種學開始時都有一個很幼稚的時代，博物館學要在國內成長，也要經過一段吃奶的日子。所以本刊出版的初期，必然要依賴國外研究的成果，我們準備自學習開始，以吸收來尋求自我成長。館內的同仁將通過這個刊物得到博物館的新知，我們也希望國內博物館的同業們除了提供他們

繆思談片

的研究心得外，能分享我們對國外的著作有系統的介紹。簡言之，本刊創刊初期，將以翻譯英文博物館刊物上的文獻為主。我們為求文字集約、內容緊湊，每期均有一主題，希望給讀者一些比較完整的資料。

　　博物館學包括的範圍非常廣泛。自收藏、保存的技術，大眾教育與展示技術，乃至博物館的經營與管理等理論與實際，均是我們探討的範圍。依照博物館的新定義，除了傳統的各類博物館、美術館外，戶外的展示、動植物園，乃至國內的文化中心等均應包括在內，因此我們認為國內有很多同業，可以經由此一刊物加強連繫；我們相信大家攜手努力，我國博物館的事業必然可以開拓出一片嶄新的景象。

自然科學博物館。

05 探索精神的發揚

—

　　在我國，博物館在行政體系上屬於社會教育機構，在大眾的心目中，屬於文物管理與陳列的機構，很少有人把博物館的業務與研究工作連在一起。我國的博物館有這樣的形象是事實所造成的。歐洲的博物館乃十七世紀以來，業餘的博物學家在啟蒙時代的大潮流中，熱切於大自然的觀察與記錄所累積的成果，因此他們的博物館自開始就是自研究成果的典藏與陳列發展出來的。我國自古以來就沒有系統的研究這回事，當外國人來華，把博物館的觀念帶來的時候，只帶來

巴黎國立自然史博物館。

瑞士聖加侖自然史博物館（Natural History Museum, St. Gallen）。

了標本陳列的形式，卻無法帶來西方啟蒙時代的探索精神，
社會大眾只問博物館有沒有東西陳列，卻不問東西是自哪裡
來的，對於博物館需要專家的觀念，只模模糊糊有點印象而
已。

　　國立自然科學博物館在籌備的階段，遭遇到的困難之一
就是說服政府有關部門，博物館需要研究單位，研究人員需
要與大學與研究院的人員同等待遇。對博物館不熟悉的社會
人士，到今天仍然認為研究可以由大學做，博物館只管展覽
就好了。自然科學博物館的組織編制雖然已大體照我們的看
法經立法院通過，但未來在業務的推行上，如要順利發展下
去，這種觀念的建立還是非常重要的。

　　在我國博物館事業的發展中，有一個很有趣的現象，與
世界各先進國家的趨勢對比起來，可以看出博物館在不同的

文化背景中，其涵義也跟著改變。歐美各國的博物館，由於其傳統性質為研究與典藏的機構，向來看不起展示部門，因此當年代表探索精神的形象，經過一段時間就一變而為塵封的古物保存所，遠離了群眾。最近幾十年來，他們努力的方向，是恢復探索的精神，以不同的方式吸引群眾，故對展示的方法有一日千里的進步。可是我國，情形完全相反。基於我們文化的背景，常提到興建一所博物館的時候，全國上下都直接地意識到迪士尼樂園類的機構，非常當然的認為博物館就是個吸引觀眾、寓教於樂的展示場所，但是要讓大家覺得博物館有認真的、高深的學術研究，卻是十分困難的事，在博物館中推行研究工作反而成為我們努力的重點。

正確的觀念也許正是在傳統的研究工作與現代的展示觀念之間建立起橋梁，使兩者不再處於對立的地步，如何做到這一點，仍待關心博物館學的朋友們做進一步的研究，但是我們認為解決這個問題的關鍵，繫於對「探索精神」的不斷的發揮，不斷的予以新的詮釋。

對自然界進行研究是探索精神的表現，觀眾進入博物館參觀展示品，也是一種探索精神的表現。這兩件事，實際上是一體的兩面。如果博物館的工作者沒有研究的精神，如何激發觀眾的探索精神？具有高度研究成果的博物館不可能拒觀眾於千里之外，我相信，在考古研究中發現恐龍的學者，第一個意念應該是要全世界民眾知道這個發現的成果與意義，以燃起民眾的好奇心，與進一步探索的興趣。博物館的研究人員，在純學術任務之外都抱著這種精神，才能具有獨特的研究人員與教育家的風範，與完全關在象牙塔裡的研究者畫清界線。

倫敦自然史博物館。

倫敦自然史博物館中的恐龍
圖像。

06 博物館是開放的學校

—

　　有一位朋友問我：「你在大學從事教育工作二十年，忽然去辦博物館，有什麼感想？」我一時之間答覆不出來。我覺得好像仍然是在從事教育工作，一種非常難以用短短幾句話說明白的教育工作。當我想清楚以後，這位對我離開學校頗不以為然的朋友早已搖搖頭，晃到別處去了。

　　我想我被博物館的工作所吸引，主要的原因可能正是博物館所負有的教育的任務。因為博物館的教育不同於學校，是一種非強制的教育，在我內心深處早已感覺只有非強制的教育才是真正的教育。對於從事這項教育工作的人來說，其非強制性才是最有挑戰性的！

　　現代人的一生幾乎有三分之一的生命是在受教育的階段，坦白地說，我認為浪費得太多了。自幼稚園開始，一直到研究院，漫長的十幾年，所學到的確實不少，但與未曾長期入學的人比較起來，所學是否值得這些歲月，頗令人懷疑。為什麼年輕人時時有浪擲歲月的行為呢？除了學校教育的制度有檢討的必要外，主要因為在青少年成長的時代裡，學校代表一種牢籠，是他們不能不接受，然而在骨子裡並不喜歡的學習環境。他們不能不上學，乃因社會逼迫他們，父母督促他們。1960 年代的後期，美國曾有一批極端理想主義的人士，主張廢除正規學校，使教育恢復到自然的健康的狀態，其基本的精神就是讓幼小的一代按自己的需要與愛好接受廣大社會的教育，而能自我成長，不受傳統價值觀的限

制。那時候我正在美國，多少受到一些影響，雖不深信他們的主張，但是對於教育應激起年輕人主動求知的興趣，而不應過分強制的看法，卻是非常贊同的。因此我在教書的時候，從來沒有點過名，我始終認為以成績單強迫學生上課是達不到教育的目的。

倫敦自然史博物館將研究員的工作室開放作為教育展示的內容之一。

博物館是開放的學校。

　　博物館自教育的功能看，是不給學位、不打分數、不點
名的學校。它是一座開放的學校，觀眾是心甘情願地來，如
果他們要學習什麼，或學到了什麼，都是在他們自己意志控
制下的行為。因此他們所學到、所感受到的都是實在的，會
成為他們生命智慧中的一部分。這樣的教育在思想層面上，
顯然是高過學校教育的。所以我認為博物館所提供的非正式
教育，在教育的精神上與實效上都是超過學校所提供的正式
教育的。

　　基於這樣的看法，我認為博物館的工作者不以課堂填鴨
為方法，才是真正的教育家。然而正因為非正式的教育必須
具有吸引大眾主動受教的條件，其工作是很困難、很具挑戰
性的。博物館的教育工作者需要兢兢業業地致力於教育與娛
樂間的結合，確實不是手執戒尺的填鴨教師們所能想像得到

繆思談片

的，在觀念與方法上，博物館工作者必須精益求精，力求改善，否則觀眾的反應立刻顯現出來，是毫不容情，也無法掩飾的。我覺得未來的學校教育應該向博物館看齊才是。一個成功的學校，教師如果不具備博物館教育者的精神，不可能是一位值得尊敬的教育家。

美國華府自然史博物館研究員的工作室是展示的內容之一。

07 收藏是人性

——

　　今天大家對博物館的看法不一，自展示的角度看，覺得它是活潑有趣的；自收藏的角度看，則覺得它是生硬呆板的。最近若干年來，甚至博物館從業的人員也持有這種看法，逐漸自動地降低了收藏業務的分量，在所謂參與性展示上大量投入人力物力，使博物館的定義產生了相當根本的改變。

　　這也難怪，博物館很久以來就被看做古物保存所。凡是過了時代、失去實用性的東西，就被認為是應進博物館的東西。想到這裡，不免就把博物館與塵封惡臭聯想在一起，愈是了不起的博物館，愈是藏滿了古怪恐怖的東西，如木乃伊之類。近年來外國有些恐怖電影，不時要與某一博物館的古老庫藏運在一起，愈使博物館的形象陷於神祕之中。

　　其實這種形象也不錯，雖然會把大部分觀眾嚇走，卻也會吸引一些具有歷史癖好的人。博物館在本質上是與歷史分不開的。世上偉大的博物館，包括我們的「故宮」在內，都是以收藏歷史上有名的藝術作品為主要職責。當科學博物館開創的時候，也是著眼於過去的，所以才有「自然歷史」這樣使我們不易了解的名稱。自然科學博物館裡收藏著自然發展的證物，是以自然創造的歷史為研究對象。具有歷史癖好的人也是很好奇的人，他們喜歡窮究在時間與空間上脫離了此時此地關連的一切事物，而渴望能探究出一些道理來。而收藏品止是燃起想像之火花的那些關鍵性的東西。

我常認為凡是世人所發明的事物，必然有其潛存於人性深處的需要，博物館是世人的發明，收藏「廢物」應該也是人性的一部分。事實確是如此，以我們中國人來說，以古物為寶，自漢朝就開始了。兩千年來，文人們無不以收藏古玉古陶為平生得意事。這還是雅人雅事，即使是一般中產民眾，閒暇生活中收藏的癖好也是人人都有的，只是有沒有機會而已。不用說別的，只要看郵政局每年賣出去多少紀念郵票，都貼在集郵簿上，不再使用，就可以了解一個大概。世上還有些小國，別無生產事業，只在用心設計郵票，使其美麗大方，以換取全世界集郵者的外匯，由於世上喜歡集郵的人為數甚眾，過時的郵票原是廢物，也成為寶貝，為大家所高價搜購，因此集郵者都成為收藏家，都有一個小小的家庭博物館。公家的郵票博物館就這樣應運而生了。

倫敦郵政博物館。

如果你仔細注意一下，人人都在從事收藏，只是大多半途而廢而已。女孩子小時候都收藏洋娃娃，男孩子都收藏汽車模型。有錢人專藏錢幣，無錢人收集火柴盒。我見過有人收集菸灰缸，他並不抽菸，喜愛中國傳統的人好收集石頭，形形色色，可說是無奇不有。如果你問他們為什麼？他們可能只會告訴你喜歡而已。

　　究根到底，乃因人性中有收藏的需要，無論是人或大自然的造物，跨過時空，會使有心人產生天地宇宙的玄思，人為擴充自己物質的存在，至於精神的無限，豈是可以具形而小視的！

奇石是人們喜愛收藏之物。

形形色色的石頭是收藏品。

二巻

08 只有一幅畫的美術館

——

　　最近幾年來國內對美術的興趣大為增加。由於大型美術館的開放與計畫，連帶而來的美術館的功能問題開始為行內外的人士所注目。

　　台北市立美術館開幕以來，固然吸引成千上萬的民眾前往參觀，但是美術界不免懷有疑問，即美術館是否只是一座龐大的展覽館，供短期的美術活動所用，而不必計較是否有重要的收藏？當文化界探詢此問題的時候，實際上是懷疑美術館在政策上不重視收藏，或市政府在編列預算的時候，沒有側重收藏的分量，是不是正確？到目前為止，美術館與政

雪梨新南威爾斯美術館（Art Gallery of New South Wales）。

繆思談片

府方面的解釋，認為美術館之設立在於大眾美術教育，收藏並不是重要的任務，這點當然值得大家認真爭辯。

波士頓美術館（Museum of Fine Arts Boston）。

東京國立新美術館。

主張訂定收藏政策的人士大多持有一個看法：即美術館不論解釋為藝廊（art gallery）也好，為美術博物館（fine art museum）也好，在本質上都應該以收藏為基礎，其教育的功能建立在優越的收藏之上。以博物館的意義來說，社會教育是一種收藏功能的延伸。這種觀念當然具有保守主義的色彩，未必完全正確，但在館的教育運作上是有其實質意義的。這種觀念基本的立論依據是，若美術館沒有優越的收藏，拋開美術研究與資料保存的功能不談，如何吸引廣大民眾去接受教育？又以何種角色來從事社會美術教育？在一般人的觀念中，美術館之所以具有其權威性，乃因其中存有在他處看不到的美術品。其崇高的地位尤其在於美術館中陳列著已經受到美術史與美術評論界肯定的作品。如果只是中學生得獎作品的展覽，只是某些民間組織年會的展覽，何必一定要在美術館？學校的大禮堂不可以用嗎？社教館的畫廊不可以用嗎？甚至民間的商業畫廊也可以派上用場。因此，即使是立場開明的美術界人士也不否認重要的收藏品對美術館功能發揮上的重要性。

自這種觀念推演出的看法，就覺得國內美術館建築龐大，內容空洞，是很不可原諒的政策性的錯誤。樣樣以亞洲第一來自炫，則是非常幼稚、表面的做法。正確的方針應該先建造個比較小型的美術館，把大部分預算用來購買美術品，並且發展教育功能。等到經費允許的時候，再建造更多空間，以容納更多收藏，發展更有效的教育業務。

然而我們已經落成的台北市立美術館是一個既成的事實，正要落成的省立美術館，其大而無當又是一個既成的事實，尚在計畫圖板上的高雄市立美術館，恐怕又是 個不可

台北白石畫廊。

改變的事實。這三座美術館的面積加起來可能超過日本全國所有重要美術館的總和，但是卻沒有一幅畫可以與小小的東京上野現代西洋美術館中的收藏相比。這是事實，怎麼辦呢？如果要搞收藏，單單市立美術館的牆壁就需要上千幅名畫，哪裡有這許多經費？如果要慢慢來，一幅、兩幅，要弄到哪　年才能集成　個像樣的展覽？這樣想下去，實在非常悲觀，恐怕只好放棄收藏，搞點熱鬧的活動算了。

　　對於這個問題，我一直主張一方面積極向市政府爭取較多的收藏經費，同時則嘗試購買價位適當而價值經肯定的名作。有人問我，即使每年買三幅、兩幅，如何積極地推展教

台北市立美術館。

省立美術館（今國立台灣美術館）。

高雄市立美術館。

東京西洋美術館。

育工作？我的回答是，愈是在藝術教育推廣上，所需要的數
量愈不重要，質才是關鍵所在。一幅好畫在大眾教育上所發
生的功用，勝過千百張普通作品。這個說法自然不能說服辦
美術教育的朋友們。如果我只有一張畫，如何推行大眾美術
教育？我們一定要有創意才能突破困境，在美術館的教育活
動上也是如此。坦白說，我想到很多辦法，但是說出來，大
家也不會信服。最近我在聯合國教科文組織國際博物館協會
所出版的刊物上看到一篇文章，介紹蘇俄一間小型地方性美
術館的展示方式，覺得甚合我心，因此寫出來供有心的朋友
參考。我對蘇俄一無所知，所以這座小型美術館的座落也弄
不清楚，在此要向讀者致歉。

這座美術館在博物館界逐漸以「一張畫畫廊」聞名，因為它每次只展一張畫1。其實此館雖然屬於小市鎮的小型畫廊，也有六千幅以上的收藏，但是負責人沙左諾夫先生覺得傳統的展覽方式實在發揮不了教育的作用，如果只展出一幅，情形就不大相同了。他說：「民眾參觀美術展，特別是大型美術展覽的時候，心情常常為作品的數量所支配，很難悠閒地研究或體會作品的意義，極易走馬看花，常看到展覽回來，只感到疲勞與煩躁，只展出一個作品，則可對觀眾產生比較大的情緒上的衝擊。」

　　這種經驗連在台灣的我們也是很清楚的。在大型展覽的會場裡，有時擠滿了觀眾，然而擠了幾個小時，除了趕熱鬧之外，極少人「學」到什麼東西。像故宮博物院這樣大的博物館，大部分人是看「國寶」的樣子多，只有對少數為特有

位在俄國奔薩的一幅畫畫廊（©Wikimedia Commons）。

目的而來的觀眾，才具有真正的教育意義。這是世上傳統形式美術館的通病。

　　沙左諾夫先生也提到我們共有的另一種經驗。在逛大型著名博物館的時候，常常看見幾幅有名的作品懸掛在一起，這些作品由於作者及其背景大不相同，互相造成干擾，使觀眾們無法專注於深度的欣賞，並且予人以目不暇給感覺，使作品留下的印象被沖淡，而變得非常模糊。坦白地說，大部分的觀眾對於這些作品都看不出什麼名堂來，即使努力也沒有用。要解決這個問題，只有對每一作品予以深度解析，使觀眾得到深刻的了解。我曾想到使用這個辦法經營一座小型的美術教育館，甚至可以收費來維持，曾與少數幾位朋友提起過。由於公務纏身，當然只有說說而已，無法付諸行動 2。沒有想到在與我們完全陌生的，俄國的一個偏遠角落，已經認真地實施了。「一幅畫的畫廊」是他們對此問題從事長期

被誤為故宮博物院國寶之一的《翠玉白菜》。（© 國立故宮博物院）

被誤為故宮博物院國寶之一的《肉形石》。（© 國立故宮博物院）

研究的結論，居然得到地方
政府的核准與支持，並在鄉
下風景甚佳的地方，給他們
一座幾十坪的老式建築，讓
他們修改使用。

開始的時候，他們的
想法很簡單，只是在房間中
安排一幅畫，前面隨意地安
放一些座椅，讓觀眾們悠閒
欣賞，還可以低聲討論。他
們很快發現這個辦法是不夠
的，觀眾若是鑑賞家尚可，
若是一般對美術沒有特別修
養的人，只會使他們感到困
惑。他們終於覺悟到一個事
實：美術品欣賞的深度與觀
眾的知識背景是息息相關
的。如果觀眾對一件作品無
所知，他只是慕名而來而已，
絕不可能與它產生感情上的
溝通而有所收穫。要達到教
育目的，他們採用了更主動
更積極的辦法。他們決定使
用現代的多媒體技術來介紹
一幅畫，引導觀眾進入心靈
的層次。展覽室因此變成一
間小劇場了，其主角就是展

西周晚期《毛公鼎》是故宮博物院的國
寶之一。（© 國立故宮博物院）

北宋范寬《谿山行旅圖》是故宮博物院
的國寶之一。（© 國立故宮博物院）

出的那幅畫。觀眾購票入場，先進入裝潢優雅的展覽室，在舒服的椅子上落坐，使心情沉靜下來，為藝術欣賞的前奏，然後光線轉暗，開始播放配了音樂的幻燈節目，介紹畫家的時代背景及其風格。節目不長，但要花費很大的心思去製作，不只是傳達足夠的信息，而且要客觀，以免封鎖觀眾的個人見解。解說完畢，屋內光線轉亮，正面的幕幔緩緩拉開，觀眾終於與主角見面了。這時候，觀眾可以細心地欣賞，在音樂背景中，領會畫家所要表達的一切。

這樣的一間小畫廊，使用這種史無前例的展覽方式，得到相當的成功。開幕以後，反應非常熱烈，地方民眾都要預約才有機會進場，因為每場只容納三十人，每天只開放六次。這反映了一個事實，即民眾對於美術品實在需要深度的了解。他們平時逛畫廊，不甚了解，又不好意思表示出來，反而容易造成心理的壓力，甚至形成民眾對美術品或藝術家的反感。如果畫廊負有深度解釋的責任，大家有空都會無所畏懼地前來了。

在觀念上，「一幅畫的畫廊」3 是把畫廊當戲院，把繪畫當演員，是一個重要的突破。一幅畫當主角，不但使觀眾能夠集中精神，發掘其中的精義，而且也可以提高畫家的地位，鼓勵後世的藝術家投入更多心力，因為一旦成功，其生命是不會虛擲的。世界上沒有新鮮的事情，其實這也不是什麼新發明。若干年前，巴黎羅浮宮曾把「蒙娜麗莎」巡迴世界各重要博物館展覽，以促進邦交。每到一地，觀眾擁擠不堪，人人均想一睹名畫風采。這些人來到美術館，對滿館的其他作品視若無睹，直接排隊進入一專室，聽過解釋，看過該畫後即離館而去，可知觀眾是可以為一件作品而大排長龍

慕名羅浮宮蒙娜麗莎畫作的觀眾群。

的。在這裡，只是把一幅一般水準的名作代替婦孺皆知的世界級作品而已。

　　其實在欣賞名畫之前予以適當的解釋，也是畫廊中「導覽」服務的一部分。但是觀眾擁擠的美術館，很難安排那麼多導覽人員。何況解說人員會因其個人的學養，一時的心情變化，未必能達到吸引觀眾興趣、導引觀眾進入心靈境界的目的。使用劇場的方式，可以完全控制氣氛，使觀眾心無旁騖，專注於舞台的表演。而設計完整的幻燈節目，把藝術的神祕面紗層層掀開，展現出來，實在是最有效的辦法。

　　看到俄國鄉下的一座小美術館可以使用這種具有創意的表現方法而獲致成功，感到非常興奮，一方面證實了我一向所想到的新的藝術教育法在方向上是正確的，同時也可以

證明在收藏稀少的我國藝術機構，仍然大有可為。社會藝術教育方面，「量」已經證明是沒有意義的，「質」才是最重要的考慮。這種「一幅畫的畫廊」的辦法在我國行不行得通呢？應該是行得通的，這只是一個觀念，我國大型的美術館，當然不必只展出一張畫，可以同時展出幾幅畫，作為主要的展品，其他多餘的空間還是可以用熱熱鬧鬧的展覽來充數。至於小型畫廊，就更加毫無問題了。然而我國要在創新的展示方面有所發展，要突破三個觀念才行，這卻是不十分容易的。

第一，要接受觀眾人數多並不完全等於成功的觀念。國內外評論一座博物館的成敗都以參觀人數多少為標準，是不完全正確的，應該知道一個文化、教育機構，其最重要的目標是提升民眾的精神生活品質，只有改變了民眾的氣質才真成功，如果參觀的人數多卻不能吸收展覽品的精義，徒然浪費大家的時間而已。「一幅畫的畫廊」的觀念是限制參觀人數，提供深度欣賞的機會，照沙左諾夫的做法，一幅畫的展示，每天「演」六場，每場三十人，只得一百八十人，每年也不過六萬人而已。即使大型美術館中，多設置幾個展示室，要達到百萬人之數也是相當困難。可是這些人一旦進來，必然有豐富的收穫，是可以保證的。

第二，要接受展覽室不一定要壯觀的觀念。國人對於建築，不論外觀與內部，都希望高大寬敞。美術館是公共建築，當然並不例外，可是坦白說，我進到台北市立美術館的大型展覽室裡就有失落的感覺。不但我自己失落了，連牆上的美術品也失落了。因為龐大的建築空間在欺壓我們，使我們感到卑微。對於細緻的欣賞行為來說，過大的或過長的空

間都是沒有用的。大家必須了解藝術的欣賞需要沉思，需要安靜。而作品都有其個性，最理想的展示方法，是每一作品都有獨立的小空間。美術館要向科學博物館學習，在大空間中建立小空間，使展示廳中出現各種不同的環境，其中當然可以包含劇場式的展示場所在內。

　　第三，要接受展覽人員也是研究人員的觀念。國人對於「研究」二字定義很狹窄，好像一定要屬於學術性的發現工作，才能稱為「研究」，所以至今教育部學審會不能接受非學術性的論文，使藝術性創造性的科系，面臨教師升等的困難。其實展示是一種藝術，也是一種科學。做好展示，要收集有關的各種資料，然後用不同的方式表達出來，能產生美感，又能容易為觀眾所吸引，是很大的一門學問。

　　目前國內這種工作得不到社會的承認，這種人員也非常缺乏。政府有關的單位先要認識這是一種專才，給他們一定的待遇，不要單單計較他們的學位，要看他們的表現。愛迪生有什麼學位？畢卡索有什麼學位？如有必要就辦研究所，訓練並培植人才，使他們得到學位。學位是人給的，對優秀的設計家給博士學位也未嘗不可！有了創造性的展示人才，有了正確的美術社會教育的觀念，有任何問題都可以迎刃而解。收藏很重要，可以根據財力，慢慢累積，是急不來的，但可以不必犧牲教育的品質。俄國一個小鎮上的美術館用他們的方法來解決問題，我們可以順著這個方向，發展出各種展示辦法出來，成功的要點則在於掌握大眾教育的目標，時時反省，民眾是否真正受益。

　　　　　　　　（轉載自 1987 年 6 月 16 日《中央副刊》）。

編註

1　一幅畫的畫廊以具有文化意義的畫作為主，觀眾可以先
欣賞一段影片，影片內容包括藝術家的生平、時代背景
與作品的特色等，讓觀眾在看到畫作之前有深度的瞭
解，提升欣賞的藝境。該館位在距莫斯科西南，距離
約350公里的小鎮奔薩（Penza），小鎮人口約五十餘
萬，是俄國城市排行榜第38名。此館成立於1983年，
由當年當地的蘇共書記喬治‧米雅斯尼利夫（Georg V.
Myasnikov,1926-1996）所倡建，因此該館以其名作為館名。

2　漢先生在擔任世界宗教博物館期間，於2007/10/15至
2008/04/27曾以一幅畫的畫廊理念舉辦過「聖誕圖」
特展（Adoration of Shepherds）。北師美術館推動的「百
聞不如一件」計畫亦是相同理念的藝術教育，計畫的核
心價值是透過「一件」文物在小學校園內落實美術館／
博物館的精神與概念，如新北市金山中角國小的「距
離DISTANCE」，2016.04.11 - 2016.05.31；台北金華國中
的「超凡入聖」，2016.03.12 - 2016.06.30與2015.10.02 -
2016.01. 新北市板橋中山國小的「敲‧復古：皮薩諾的天
堂與地獄」，展出義大利雕刻家尼可拉 皮薩諾（Nicola
Pisano,1220-1284）在西耶納（Siena）大教堂主醮壇雕刻的

「敲‧復古：皮薩諾的天堂與地獄」展場入口。

「敲‧復古：皮薩諾的天堂與地獄」展場一隅。

「敲‧復古：皮薩諾的天堂與地獄」的展品之一。

講經壇浮雕（模製品）「最後的審判——天堂」與「最後的審判——地獄」為主題，以「少就是多」來擴散拓展學童們的學習向度。

3　世界宗教博物館於 2007 年 10 月舉辦「聖誕圖：一幅畫的故事」特展，以一幅「牧羊人朝拜聖嬰」的巴洛克繪畫出發，深度解析基督宗教繪畫的內涵，從聖經繪畫題材、宗教畫中的象徵符號到賞析不同時期的作品，帶領觀眾走進「一幅畫」的世界。此特展從描繪聖誕節由來的「牧羊人朝拜聖嬰」畫中，解析出畫面中的人物與動物

世界宗教博物館「聖誕圖：一幅畫的故事」特展海報。

形象及象徵：聖母為什麼身著藍色長袍？馬槽裡的動物為什麼只有牛和驢？天使的喜悅與上帝的榮光有哪些不同的表現形式？此特展從「宗教」與「藝術」兩方面，引導觀眾學習如何「讀懂」基督宗教畫作，除了讀出聖經故事背後的涵義，也讀出對藝術表現的理解與藝術賞析的興味。就展示而言，內容上以「一幅畫」的概念出發，它同時成為展示的起始與終點，無論是宗教與藝術內涵的交織鋪陳、知識理解的順序佈局、或空間引導動線等，打破以往直線式的展覽邏輯，增加學習的層次性與參觀的趣味性。展示空間特色以互動學習為主，在展示情境之外，更加入多媒體內容，並將平面畫作立體化，讓觀眾可以「走進畫中」做深度學習。最後加上創意十足的導覽手冊，呈現展出的內容，以期讓觀眾從藝術風格與宗教象徵等不同層面了解基督宗教繪畫的精采之處。

09 評量就是工作檢討

從事教育工作的人就知道「教育是百年大計」這句話。又有人說「百年樹人，十年樹木」，好像談到教育，非以百年為單位不可。當然，認真地想一想，所謂百年者，不過表示其影響的深遠、成就的不易而已。人生不過百，若以百年去樹人，如何「樹」法？

這樣似是而非的一些話，對於現代教育工作者卻有相反的效果，那就是說，教育的效果是緩慢而長遠的，教育的績效無法度量，教育家的努力只是默默地耕耘，不求聞達，也不求致用，因此成敗不能核計。其結果是各級學校，尤其是不再需要升學的大學，教授先生們可以抱著一本講義講授數十年而面不改色。為什麼會有這樣的現象？用現代的管理觀念來看，就是缺乏一種成效評量的原則與方法。為了尊師重道，教育行政單位無法提出任何可以衡量教師工作的辦法，教育行政的績效就不得不以數字來表達，這實在是很悲哀的事。

我們常常看到一些教育的統計數字，有些確實代表一些意義，有些則實在不代表任何意義。舉例來說，一個國家接受國民教育的百分比，代表普及教育的程度，是有些道理的。因為義務教育基本上是識字明理的教育，目標比較容易達到。但是專業性較高的教育，純數字就缺乏意義了，比如

大學畢業生若干人雖可說明一個國家受高等教育的比例，但卻不能依據這些數字，證明這個國家學術與專業的水準。

　　同樣的問題發生在博物館之類的社教機構。由於完全沒有衡量品質的標準，各館的成績只好以參觀人數來計算[1]。增加參觀人數成為博物館管理人員努力的目標。最近幾年來，全世界的博物館都在設法使展示品趣味化，並結合娛樂的成分，以吸引觀眾。但是無可諱言的，這些成千上萬的觀眾湧到博物館來，究竟是為尋樂子，還是求教育，他們在離開博物館之後，有沒有學到些什麼？似乎沒有人了解，也不願去深入了解。因此博物館教育效果評量的問題是一個很重要而很基本的問題，涉及博物館存在的價值，與博物館學理論的研究。同時，這也是一門很新的學問。據我的了解，這方面理論性的文獻非常有限，評量的工作又做得很少，研究報告也很缺乏。在我訪問歐美各館時，偶而問問他們的主管有關評量作業的情形，大多支支吾吾，表示正進行中，或乾脆表示沒有足夠的人力物力去從事這項重要的工作。

　　自然科學博物館籌備期間就計畫把評量作業制度化，成為展示與教育業務有機的一部分，但是開館以來，也困於人力物力，評量作業剛剛起步。本刊本期以博物館評量為主題，在於喚起大家對評量工作的重視，我們認為負有大眾教育使命的博物館的生命乃繫於評量所得的回饋上。遺憾的是我們無法找到適當的國外博物館的評量報告供各位讀者參考，只能譯些理論。希望不久的未來，本館科教組的評量研究得到初步結果，可以公之大眾，做為理論與方法上討論的基礎。

編註

1 亞洲的博物館參觀人次排行榜

排名	館名	座落城市	參觀人次
1	中國國家博物館	北京	8,062,625
2	上海科技館	上海	6,421,000
3	故宮博物院	台北	4,436,118
4	中國科學技術館	北京	3,983,000
5	浙江省博物館	杭州	3,670,000
6	中央博物館	首爾	3,476,606
7	甘肅省博物館	蘭州	3,300,000
8	南京博物院	南京	3,300,000
9	自然科學博物館	台中	3,115,000
10	成都博物館	成都	3,000,000

※ 以 2017 年為準，整理自維基百科。

世界的博物館參觀人次排行榜

排名	館名	座落城市	參觀人次
1	羅浮宮 Louvre	巴黎 France Paris	2,825,000
2	中國國家博物館 National Museum of China	北京 China Beijing	2,378,000
3	上海科技館 Shanghai Science and Technology Museum	上海 China Shanghai	2,368,000
4	中國科學技術館 China Science and Technology Museum	北京 China Beijing	2,360,000
5	俄羅斯博物館 Russian Museum	聖彼得堡 Russia Saint Peters burg	2,260,231
6	多媒體藝術館 Multimedia Art Museum	莫斯科 Russia Moscow	2,242,405
7	上海自然博物館 Shanghai Natural History Museum	上海 China Shanghai	2,166,000

8	南京博物院 Nanjing Museum	南京 China Nanjing	2,034,000
9	大都會藝術博物館 Metropolitan Museum of Art	紐約 United States New York City	1,958,000
10	烏菲茲美術館 Galleria degli Uffizi	佛羅倫斯 Italy Florence	1,721,637

（©JukoFF, Wikimedia Commons）

※ 台中自然科學博物館列第 27 名（1,566,000），位在倫敦自然歷
史博物館（1,571,413）之後，巴黎龐畢度文化中心（1,501,040）之前。

※ 以上資料以 2021 年為準，取材自維基百科。

北京中國國家博物館。
（©Gary Todd, Wikimedia Commons）

北京中國科學技術館。
（©N509FZ, Wikimedia Commons）

莫斯科俄羅斯博物館。
（©Екатерина Борисова, Wikimedia Commons）

莫斯科多媒體藝術館。
（©JukoFF, Wikimedia Commons）

10 文化觀光的時代

—

　　博物館是現代社會的產物，但是自歐洲國家開始有博物館以來，社會已經發生質變數次，博物館的任務就不能不跟著改變。

　　最早的博物館乃產生於歐洲上流社會的需要。在啟蒙時代，上流社會的知識分子對自然界所見發生極大的興趣，因此有研究與收藏的業餘活動。世界性的旅遊機會，使西方的知識分子接觸到多種稀奇古怪的文化與自然環境，因此人人都有成為科學家，尤其是博物學家的願望。所以自然史博物館是最早的博物館，目的在供同好者比對、研究，連大詩人歌德的家裡都有地質學的收藏。這種精神慢慢被淡忘了，但是我們還可以自《國家地理雜誌》這種刊物上看到此一傳統的影子。

大詩人歌德家裡的地質學收藏。

博物館的第二個階段是美術館與科技館的陸續興起。美術與科技，看上去是互不相干的東西，但對社會大眾而言，卻具有同樣的目的，那就是民眾可以自展覽中得到愉快的感覺，開拓新知的願望沒有了，但通過展示品以欣賞先人的創作，成為一種潮流。這種欣賞的活動也許是美感的，也許是知性的，而愉快的感受屬於精神層面者多。這一階段的博物館仍保有一絲貴族的氣息，但基本上是屬於中產階級的，隨著這一階段的成長而盛行起來。到今天我們仍然可以看到這類博物館在盛行著，而且繼續在設立中。然而由於時代的變遷，這種現代主義精神下的產物，逐漸與群眾脫節了。

自從 1960 年代以來，西方世界進入一個新的時代，也可稱之為富裕時代。現代的傳播技術，把世界縮小於方寸之間，知識因而爆炸，大部分的民眾不但失掉了好奇心，而且失去了對知性欣賞的興趣。他們大部分都是物質主義者，喜歡享受閒暇，懶得動腦筋；重經驗，輕思辨。這是與大眾文化的盛行同一步調的。博物館在這個大眾的時代面臨嚴重的考驗，而必須做第三次調整。

在這樣的時代裡，博物館即使不再重視收藏研究，而以教育文化為目的，也顯得落伍了。到博物館的民眾，其首要的目的是消遣，因此訪問博物館成為觀光活動的附庸。保守的博物館界的朋友不免覺得世風日下，因往日的光輝不能再現而慨嘆。然而自另一個角度看，博物館為能順應時代潮流，與民眾打成一片，也未始不是積極參與廣大社會的一個機會。因此我覺得為應社會的需要，今天的博物館不能不在文化性觀光的大前提下求發展。民眾因閒暇過多而有觀光的需求，博物館不想自外於民眾就要以文化性觀光的供應者自

居，就要自純觀光遊樂的設施中學習，聰明地加以應用。

　　為了達到文化觀光的目的，現代社會所接受的博物館一定要破除傳統的形象，而具有觀光事業所必備的多樣性，因此不但應該擴大博物館的定義，也應該改變目前博物館分類的方式。科學館為什麼不可以來點美術？美術館為什麼不可以來點科學？科學館、美術館為什麼不可以來點音樂？為什麼不可以附設一個小花園？甚至動物園？在一個開放的世紀裡，一切界線都應該破除了！

與日本庭園結合的日本丸龜美術館。

美術館特設花園的加州帕薩迪納諾頓・西蒙美術館（Norton Simon Museum of Art, Pasadena, CA）。

11 是學生也是顧客

　　博物館發展到今天，正陷入相當尷尬的境地。博物館是一個學術機構，是一個教育機構，還是一個遊樂的機構？博物館本身希望被認為是學術機構，社會似乎認定它是教育機構，然而他們都希望博物館能吸引大量觀眾，亦即要像娛樂性設施一樣為大眾所歡迎。博物館角色的曖昧，與它的觀眾政策是直接相關的。

　　對於博物館的研究人員來說，觀眾是他們的一種負擔，使他們無法全心投注於學術工作，但是博物館的本質就是要開放給觀眾參觀。日本的博物館法中規定每年至少要開放一百五十天以上，即是認定博物館，不論其性質為何，要對社會教育與文化的推廣負有一定的任務。這還不夠，如果一座博物館要積極負起大眾教育的任務，就要設法吸引大量觀眾入館參觀。博物館的管理人員開始覺得有必要從事推銷工作，像商人一樣地面對社會了。

　　那麼，觀眾是博物館的學生呢？還是博物館的顧客？在今天以商業掛帥的社會中，如果博物館視觀眾為顧客，則在「顧客永遠是正確的」政策下，其學術與教育工作者的角色是必然要改變的。有時候，置身兩難之間，左右不討好，是免不了的。

　　記得在國立自然科學博物館規劃第二期的初期，討論

自然科學博物館恐龍廳中的機器恐龍。　　　　　自然科學博物館恐龍廳中的恐龍骨架。

恐龍展示的政策時，孫克勤教授當時擔任研究規畫組長，主張以學術為重。那時候，中影文化城租了日本人設計的機器恐龍，會做一些搖頭擺尾的動作，並可大聲吼叫，展示期間吸引了不少觀眾，也賺了不少錢。本館籌備處的同仁都去看過，都覺得太多商業味道。但是社會上有了這種東西，自然科學博物館如果仍然弄一些骨架撑在那裡，會有人發生興趣嗎？　時實在難下決定。

　　那一年我到美國尋覓設計師，途經洛杉磯，於星期天未約好的情形下，去有名的洛郡自然史館參觀，赫然發現大理石古典風格的正廳中，放了一隻四分之一比例的雷龍（現稱迷惑龍）模型，不時搖頭擺尾地吼叫。該館的館長是博物館

洛郡自然史館大廳的恐龍展示。

界有名的布萊克博士 1，居然也搞起這種名堂來，使我一時如墜五里霧中。到倫敦參加世界博物館年會時，有機會與幾位美國資深博物館學者同桌共餐，順便請教他們對洛杉磯的做法是否同意，他們未置可否，有一位年長者說，布萊克這樣做，想來一定是有道理的。

我回國以來，立刻寫了一封信給布萊克，請他說明這隻恐龍的來源，並請教他是否有學術上的根據。我沒有得到回信，兩年後我再去洛城，發現那隻恐龍已經不見了，而正在展覽的是大陸出產的恐龍骨架。同時我也查出，那隻恐龍與在中影文化城展出的東西同一來源。我說這一段故事，乃指出在「觀眾是顧客」壓力下，連第一流的博物館學者也不能例外地乞靈於商業性展示，我寫那封信實在太唐突了。

今天的觀眾在入館之前要把他們當作顧客，入館之後要把他們當作學生；也就是以面對顧客的方式招待他們，以教導學生的方式誘導他們。他們確實具有兩種身分，而哪一種也不能被忽視的。

編註

1 布萊克博士（Craig C. Blavk,1932-1998）出生在北京，以研究冰河期哺乳類動物知名。自 1982 至 1994 年擔任洛郡自然史館館長，先前擔任過德克薩斯理工大學博物館（1972-1975）與卡內基自然歷史博物館（1975-1982）館長。在雷根總統任內被任命國家博物館協會主席與國家科學委員會會長，布希總統任內出任環境委員會委員。

加拿大多倫多博物館的恐龍展示。

加拿大渥太華自然史博物館的恐龍廳一隅。

美國華府自然史博物館的恐龍展示。

　　　　　　　　　　　　　　　　　繆思談片

三巻

12 迎接博物館的世紀

—

　　對於即將來臨的二十一世紀，各行各業的人都有不同看法。對博物館人而言，二十一世紀將是一個博物館飛躍發展的世紀。

　　博物館雖然已有兩百多年的歷史，但無可諱言的，它並沒有受到應得的重視。不錯，每一個國家都有幾座為大家所熟知的博物館，尤其是那些收藏豐富的歷史文物與美術性的博物館。但整個說起來，社會對博物館的投資很有限，對博物館人員沒有適當的尊重，沒有給予足夠的支持。在過去幾十年間，即使是國外稍有名聲的博物館，有時也捉襟見肘，得不到適當發展的情形。然而風水輪流轉，博物館的時代即

倫敦大英博物館。

柏林老國家畫廊。

將來臨了。博物館界已經以明朗的態度，打算負起時代的任務。未來的時代對博物館有些什麼要求呢？

巴黎羅浮宮。

首爾中央博物館。

以保存建築為主的日本江戶東京建築園。

　　在經濟快速發展、人類的物質條件飛躍進步的今天，對生命的意義卻感到惶惑不已了。世人不分族別、不分國家，都有一種迫切了解自己的願望。在這個精神領域開拓的努力中，首要的事項是為自己的時空定位，以肯定自己存在的價值，因此回顧過去，成為世人共同的努力方向。人不再為了追求物質生活而拋棄一切了，開始對自己「走過從前」的腳步珍惜起來。這種心情使得今日世界的一切都顯得可貴，使得「過去」所留下的點點滴滴都顯現出文明的光輝，值得珍惜在這樣的趨勢下，整個文明世界就要被視為一座大博物館了。

　　誠然，廣義地說，無不可以成為博物館的事物。保存文明的證物是一種運動，自城市、建築到大自然中人類留下的一切，無不是保存的對象。最近十年來，「保存」的觀念拓展到生活方式上，因此民俗村歷史保存區的觀念盛行，又拓展到大自然界，因此生物保存區、國家公園之觀念盛行，傳

統的以建築空間為範圍的博物館，與保存的觀念合流，博物館因此以各種面貌、各種內容迅速增加中，歷史的流逝是新時代人文價值的覺悟。

　　同時，在知識爆炸、資訊掛帥的今天，世人逐漸養成了尋求意義的思想習慣。現代化高生產力的社會為人世帶來更多的閒暇，但是如何在休閒中尋求意義，成為未來人類文化中最重要的課題。休閒要成為人類生命中有意義的一部分，不能再視為可以浪擲的生命片段。因此休閒文化就顯得十分重要了。現代人所享受到的喜樂，最高尚的乃是知的喜樂。舉目世上，林林總總的事物，我們知得太有限了。以愚蠢、無知的生命混跡於世上，今之智者亦不能不時有挫折感。而我舉目所見之一切無不有其存在之來龍去脈，有待發掘以這樣的心情生存著的現代人，無不以參觀博物館的心情來看世界萬物。而世界萬物與人類文明更與博物館是一體之兩面。在即將來臨的二十一世紀，博物館的視野擴大了，博物館的工作人員要以更壯闊的胸懷來肩負起充實人生、落實人生意義的使命。

以建築博物館觀念出發的日本愛知縣犬山市日本明治村夏目漱石故居一隅。

大阪日本民家集落博物館一隅。

13 是一個玩票的行業嗎？

博物館究竟算不算一種專業？這樣的問題初聽上去似乎不可思議。世界上名聞遐邇的博物館恐怕比大學還要多，國際教科文組織中有國際博物館協會，每年開會，有數以千計的人員分為幾個小組討論博物館各項事業的發展。美國博物館協會也非常熱鬧，每年會議的錄音帶有成百卷，恐怕比任何專業協會都不遜色。只美國一地，據說每年新成立的博物館就有幾千所。即使是不重視博物館的台灣，在紙面上的資料也有幾十所呢！怎麼會懷疑博物館不是一種專業呢？

然而這樣的問題之提出還是有道理的。在我擔任行政職務的這幾年間，有少數年輕人問我，如果他們希望進入博物館這一行業工作，要有些什麼專業的準備？遇到這樣的問題，我總是覺得很不好意思。因為我無法告訴他，可以進哪所學校，念怎樣的學位，得到怎樣的專長，可以進博物館從事怎樣的工作。甚至我也很難告訴他，應該進怎樣的專業訓練班，取得對博物館事業的基本知識。一個行業居然沒有專業知識傳授的場所，還算得了什麼專業？博物館難道是只要有興趣就可以做的事嗎？

很不幸，博物館這一行業到目前為止，雖已有幾百年的歷史，仍然是很不成熟的，英美兩國授給博物館學位的大學加起來不滿五所，而且都是設在大家不知其所在的學校裡。至於博士學位，只有英國一校而已。這不是等於窮湊合嗎？

有時我也不禁納悶，像這樣湊合，怎湊得起來成千上萬的博物館呢？誠然，博物館至今還是個興趣的組合。人員都是從各行各業中轉來的，他們要放棄自己的專門，進入這個四不像的行業，接受在現代社會中最微薄的待遇，投入最繁忙的工作，置己身名利於不顧，而無怨無悔。在外國，有些博物館簡直與社會福利事業沒有分別。

即使一種幼稚的行業也有長大的一天，何況博物館這個先天不足、營養不良的老孩子呢！博物館已經到了建立制度化專業教育體系的時候了。最近幾十年來，博物館為因應時代的需要，專業的要求日益增加，專門的知識逐日累積，再以養女的身分寄生在別的學科上，是十分不切實際的。我們

設立博物館專業教育的台南藝術大學。

可以預期在不久的未來，各種正式的與應急的教育都會發展出來。

　　在國內，博物館事業沒有專業訓練的制度，是可以諒解的，但是這幾年來，公私博物館的發展一日千里，各種型態的類似博物館的創設方興未艾，有系統的專業一定要開始了。本館曾徵得東海大學梅校長的同意，設立中國第一個博物館學研究所1，可惜該校教務會議未能採行。可以想到除非政府出面指定國立大學籌設，以各大學教授的認知來說，由院系代表通過這類案了是很困難的。自然科學博物館為了加強自我訓練，已經決定成立內部的訓練組織，就博物館的各專長，以研討的方式提升工作人員的專業知識與執行工作的能力。自現階段的情形看，各博物館只有兼具訓練的功能，為有志於此一事業的年輕人闢一條求知之途徑了。

美國舊金山探索館一隅。

　　　　　　　　　　　　　　　　　　　　　　　繆思談片

編註

1 在台灣有三所博物館研究所，台南藝術學院於 1996 年 7 月成立，設立博物館研究所，2000 年博物館學研究所與古物維護研究所整併，更名為「博物館學與古物維護研究所」。輔仁大學博物館學研究所成立於 2002 年，台北藝術大學與自然科學博物館合作，於 2005 年成立博物館學研究所。大陸於 1948 年在北大文學院設立博物館專修科，至今設有博物館學專業系所的學校達三十餘個系所暨專業，如北京大學考古文博學院文博系、復旦大學文物與博物館學系、南開大學歷史學院文物與博物館學系、武漢大學人文學院考古與文物系、浙江大學歷史系文博專業與廈門大學歷史系文博專業等。

台北藝術大學博物館學研究所招生海報。　台南藝術大學博物館學研究所與古物維護研究所招生海報。

14 對博物館建築的幾點建議

　　我國正進入博物館興建的時代，國立自然科學博物館正進入最後階段，也是最繁重的發展階段。科學工藝博物館已經完成建築設計作業，即將發包。國立台灣科學教育館的建館計畫正在積極進行中。中、南、北三座科學性博物館均已緊鑼密鼓，大步推行中。國立海洋博物館經過幾年的爭辯，已經決定分為兩處 1，一在基隆，一在屏東，均在積極籌劃中。國立史前文化館將在台東卑南文化遺址上建造起來，南海學園中的國立歷史博物館與國立藝術教育館亦將在土地問題解決後，進行大規模的擴建。高雄市政府正在興建一座市立美術館，其規模將不下於台北市與台灣省的美術館。地方性的展覽館為數尤多，無法統計。

基隆國立海洋科技博物館。

基隆市八斗子的國立海洋科技博物館潮境研究中心。

高雄市市立美術館。

　　在私人方面，在不久的未來會有很多小型的、精緻的博物館出現，我國經濟快速成長，企業界在藝術品的收藏方面頗有成就，以企業為後盾具有企業形象表徵的高收費型的博物館，都在醞釀之中。在這樣一個博物館昌盛的時代，本刊推出「博物館建築」的專題是有特殊意義的。建築是博物館的硬體，也是博物館的形象所寄。世上有很多大型的博物館都是精心設計的紀念性建築，其造型就是該博物館的表誌。所以一座博物館的建築不能完全以外殼視之，應有其精神的內涵是無庸置疑的。同時我們也要注意，博物館是種特殊的建築，有其特殊的功能與空間需求。國內建築界最近若干年來成長迅速，但大多為商業建築或投機性住宅建築，對博物館所知甚少。大部分建築師都輕視博物館的特殊需要，在建築完成的少數美術館中，可以看出輕率的設計所可能造成的

洛郡自然史館。(©David Leigh Ellis, Natural History Museum of Los Angeles County)

法國第戎美術館。(Musée des Beaux-Arts de Dijon)

嚴重錯誤,是很難彌補的。我們希望自國外刊物引介的幾篇文章,可能使未來博物館的負責人與設計人深入地了解博物館建築的特質,而能改正過去的錯誤,建造出幾座真正精彩的博物館來。

筆者以身為博物館負責人，同時亦為建築家之立場，願就所知提出幾點意見，勉強稱為原則，供與建館決策有關的朋友們參考。

原則一：空間組織力求簡明易辨

　　大型的博物館常有組織複雜，使觀眾如入迷陣的感覺，如芝加哥科工館，是建築的一大敗筆。為什麼多數一流的博物館都有一個入口大廳呢？就是要有一個匯合處，使觀眾不會迷失，結伴來遊的觀眾有一個可以約會的地方，以免互捉迷藏，敗興而歸。

大型博物館的入口大廳——巴塞隆納加泰羅尼亞國家藝術博物館大廳仰視。

展示空間具有彈性——耶魯大學英國藝術中心（Yale Center for British Art）。

展示以外的空間——德州達拉斯美術館的餐廳。

原則二：避免博物館疲勞症候

　　大型的博物館最嚴重的問題是所謂疲勞症。參觀博物館的人，雖因人而異平均只有一、二小時的持續力，他們到館時常常興高采烈，不知愛護體力，但看了不久都感到兩方面的疲勞。一方面是因注意力過分集中，而產生之視覺或精神的疲勞；另方面是因不停地走來走去，而產生的身體，尤其是腿腳的疲勞。前者會使觀眾對展品的吸收力降低，後者則易產生腰痠背痛、興趣索然的感覺。為避免疲勞症，必須注意所謂「人性設計」的要則，此處不詳定。

原則三：展示空間力求彈性

　　博物館展示是常變的，即使是「永久展示」，也不會超過十五年。尤其是最近的趨勢，博物館經營以市場取向，展品的更換不得不較過去頻繁，為了應付常變的需要，展示空間以具有可變性為最佳。所謂「彈性」就是空間愈大、愈連續愈佳，使未來的展示具有伸展、縮小的適應性。大型博物館不容易做百分之百的彈性，但在可能範圍內應做到此一原則。

原則四：別忘了展示以外的空間

　　生手設計博物館常常只注意展示面積，忘記展示活動需要很多人的支援，及很多配合性活動的輔助。尤其是現代的展示，維護人員很多，且不可輕忽。如果建造一座博物館，如同清湯掛麵，乾淨俐落就做到了，味道卻消失了。到了真正經營博物館的人手上，就苦不堪言。

博物館裡裡外外雅俗共賞——加州舊金山迪楊美術館的戶外雕塑苑。

繆思談片

原則五：裡裡外外要雅俗共賞

由於博物館與美術館類屬於所謂「高格調」的文化性建築，常是喜歡表達自我的建築家的獲取對象。因此種可能性是格調甚高，失去群眾性。雅是很好的品質，無論如何不能失掉，但在雅之外，一定要能使一般大眾共同激賞，否則不但會失掉對大眾的吸引力，而且會成為上流社會少數人的玩物，當然最不好的是不雅不俗的作品。這種稀鬆平常的東西最多，若做為一個規模龐大的文化建築，就顯得平凡得可怕。

在這五大原則之外，我也想到幾個陷阱，在生手新建博物館時，常容易一腳踩下去的，寫出供有關朋友們參考。

陷阱一：過分信賴專家

各行各業之專家，學有專精，當然應該尊重，但博物館是種綜合性的機構，而且是大眾取向的機構，過分以專門學問為指導原則是很容易絞成一團亂線，理不出頭緒來。即使是博物館專家，也要看他是博物館學之通才，還是博物館工作的人，或固守其專業的人，否則難免誤導，而步入歧途。他們的意見如影響建築，尤其應該特別注意，即使他們是建築師也要小心。誰都有盲點，建築師當然也不例外。

陷阱二：過分預期遠景

博物館建設是百年大計，當然應該考慮其發展的遠景，在過去，博物館建築的短缺是未能考慮遠景。這幾年來，情形完全相反，常常以遠景為藉口，而影響到建築的設計。如

果考慮遠景是相當可以掌握的，亦即在預算之內的，當然應該；如果是莫須有的，只是空洞的理論，就不應過分重視而犧牲近期的經營條件。理由很簡單，過去的博物館是靜態的、少變的，反而宜於做長期的預估；現階段的博物館是常變的，無人有能力預料十年後的發展需要，反而不如順其自然。

陷阱三：過分重視規模

建設一座新的博物館，其負責人大多希望使自己的領域擴展到最大，在建築上追求較大的規模。尤其在公立博物館的情形，而無太大預算限制時為然，博物館因其性質必須有一定的規模，但超過其應有的規模，而忽視其內涵是相當嚴重的錯失。尤其是美術性或文物性博物館，虛有其表，常予觀眾惡劣的印象。有時候，一座規模不大而內容精湛的博物館，卻令人印象深刻而流連忘返。有了龐大的空間，高大而空曠，觀眾寥落，是很難堪的場面。參考這些原則，避免這些陷阱，當然並不能保證一定會完成一座第一流的博物館建築，但是可以減少一些錯誤，對未來的營運增加一些方便，使博物館的功能充分發揮出來。

規模不大而展覽精湛的台北北師美術館。

繆思談片

【編註】

1　二十世紀 1980 年代，國家推動十二項建設計畫，籌設兩
　　座以海洋為主題的國立博物館，一座是屏東縣車城鄉的
　　國立海洋生物博物館（海生館），另一座為海洋科技博
　　物館。海洋科技博物館將已關閉的台電北部火力發電廠
　　為館區，建築工程由林洲民建築師負責，於 2013 年 12
　　月 30 日開館。

基隆國立海洋科技博物館。

15 展示設計家的條件

—

　　在新館籌劃中，最困擾的工作就是展示設計。老式的博
物館是陳列館，只要把一些收藏品陳列出來，而且陳列得很
安全、美觀就可以了。博物館的主要工作是以學術的觀點選
擇展示品，並用正確的考據文字解說這些展示。在文物性的
博物館中，展示都是放在玻璃櫃子中的，安全的顧慮也不太
多。但是一個現代化的博物館就不大相同了。現代的展示，
貴重的展品並不重要，而重視觀眾的參與。在根本上，展示
是一種教育的工具，要達到教育的目的，展示品先要具有吸

展示在玻璃櫃內的文物。

引力，使觀眾樂於接近它們。然後要考慮如何用聰明的方式去傳達知識，使觀眾在數十秒內發生興趣，得到啟發。展示品所組成的環境，又需要美觀大方，有文化氣質，對觀眾有薰陶的作用，觀眾的參與是相當基本的條件，這樣簡單的設計原則，看上去輕而易舉，實際上是困難的。一位第一流的展示設計家必須具備多方面的條件，綱要式地列在下面：

台中自然科學博物館第二期的設計葛登納先生是一位老頑童。

第一，一個展示設計師要有童心，他本身就是喜「玩意兒」的人才成。

世上沒有一件事情，工作者不能熱切地投入，而能產生相當效果的。不喜歡參與博物館展示的人怎會設計出有想像力的東西來？本館第二期的設計葛登納先生是一位老頑童，所以才有這樣生動的設計。日本的設計師怎樣也生動不起來，他們整天行禮如儀，心情嚴肅，一肚子的使命感，如何能使展示品有趣？

第二，現代展示設計師要對機器與電腦等物有興趣，喜歡動手。

現代的展示要使用很多動態的設計，如果設計家對高科技玩具沒有興趣，或沒有基本的觀念，就無法設計出生動的

展示，至少不習慣使用這些新工具來表達，其設計的趣味性可能就大減了。

第三，展示設計師要有廣闊的常識與興趣。

展示設計的內容沒有一定的範圍，設計的對象也許是科學，也許是自然，也許是人類學，也許是藝術。因此他必須對每一種文化活動都有興趣，而且都有一定的常識。如果對那一方面所知不多，也有很快進入情況的能力。而且應該興高采烈地去探索一些他所不熟悉的知識領域，並可以與各行專家一起討論問題，同時展示設計能跨越各行最為理想。

第四，他應該有藝術家的修養。

展示設計不論屬於哪一類，都應該具備相當的藝術氣質。色彩要和諧動人，造型要引人入勝。他自己若不是藝術家，是很難做到這一點的。

第五，也是最後一個條件，就是他必須個性溫和，願意與各行各業的人合作，並解決各種問題。

丹佛美術館應用電腦的展示。

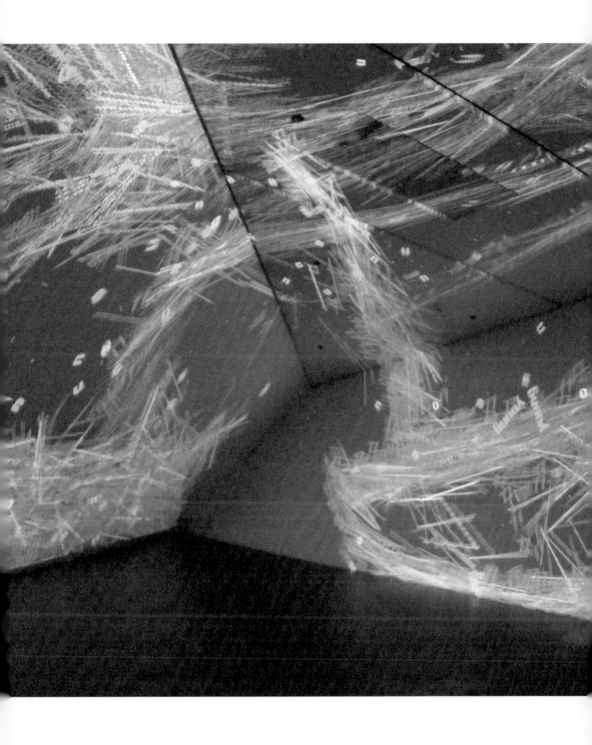

展示設計的內容是點點滴滴，由很多不同行業的人，通力合作所能完成的，一個高傲的人做不成這件事。何況博物館常有自己的目標，設計家必須配合，很高興地接受指導，並發揮顧問的作用。這樣的人要到哪裡去找？而在國內，哪一天才會培養出第一流的展示設計家呢？我們永遠要依賴外國人嗎？

台中自然科學博物館中國科學廳中的簡儀展示。

四卷

16 博物館是現代的寺廟

——

　　在台灣，大家提到博物館，就只想到是一種文化機構，開著門等候觀眾去光顧，社會對博物館的責任，似乎只是去光顧，能夠找個空閒去一趟，已經很支持了，絕沒有想到還有其他責任。事實上，在產生博物館的西方國家，博物館本身就是一種社會事業，它是以服務社會為目的，與其他社會福利事業一樣，最需要大眾的熱心支持，用現代語言來表示，博物館的發展與維護，需要很廣泛之社會資源的支助。

　　什麼是社會資源？就是大眾基於愛心所提供的人力與物力。博物館要服務大眾，需要很多人手，也需要各種展示品與設備，國外的社會人士，為支持自己的博物館，真正做到有錢出錢、有力出力的程度，所以社會資源佔有博物館相當大的比例。美國在傳統上是個最有愛心的國家，他們的博物館大多是私立的，在過去是不收費的，只在門中設一個捐款箱，與我們的廟宇一樣。最近幾十年來，愛心逐漸降低，博物館作業的費用則直線上升，才不得不收門票，並接受政府大量的補助，但比較起來，社會的支助仍然非其他國家所可望其項背。為了繼續不斷開拓社會資源，他們這幾年來，居然要當作專業來處理了。

　　東方國家，包括日本在內，並沒有這樣的傳統。博物館是學西洋而設立的，大家都認為這是政府在文教施政上的責任。東方人也有愛心，但缺少兼愛天下的愛心，我們把關

功德箱是台灣廟宇中信徒的捐款箱。

注集中在子女身上了，所以對公益事業很少捐助。東方人把
大量的捐助投入到廟宇中，廟宇得到資助以後，有時也設立
公益機構以造福人群，但社會大眾很少直接對這些機構提供
支援。其原因是大家捐助的對象是廟宇中的神明，捐錢給神
明，或為神明的慶典出力，都是自求多福，並希望因此澤及
後代兒孫。至於這些錢交到寺廟之後如何花用，那不是他們
所關心的，因此寺廟推行公益事業，幾乎完全視主持人的態
度而定。坦白地說，有些錢不免被浪擲了。對西方世界而言，
這種捐助的態度，相當於歐洲的中世紀，是很不開化的。

　　在我國，既然博物館是政府的事業，有沒有必要在社會
資源上下功夫呢？仍然有此必要！博物館是文教機構，負有
相當的社會教育的任務。開發社會資源，不是博物館需不需
要的問題，而是社會大眾應不應該奉獻的問題。努力開發資

博物館需要人們由自求多福進化到發揮社會之愛。

源，是鼓舞社會的愛心，是要求大眾照顧大眾。這是建立一個文明社會所必經的一條路，我國的經濟已經發展到民間可以發揮社會愛的程度了。

我們的企業家有了可觀的收藏，寧願自己辦博物館，也不肯捐出來，這固然無可厚非，但我們的國民要認清，收藏是身外之物，佔有慾的快感是很短暫的。在一個管理良好的博物館中，永久為眾人所景仰，應該是收藏家最大的安慰。自己抓在手上，不但很難逃過身後星散的命運，且如錦衣夜行，也無法滿足自己的成就感。

我希望有一天社會大眾看博物館，就像看寺廟一樣，大家群策群力，把文化事業提升到另一個層次。

台北市龍山寺。

台北市臨濟護國禪寺。

17 多元的展示觀

—

　　自從結合娛樂與教育功能的展示方式為博物館接受以來，「展示」這一門學問已經開闢了一個新天地。很可惜，世界上還沒有以作育展示設計人才為主要目的而設立的教育單位。我想，這是一個很有發展前途的學域，希望國內的大學發生興趣。

　　與任何一門新闢學域相同，它很容易與最新的科技掛鉤，而且迅速發展，予人以日新月異之感。展示已經與視聽媒體相結合了；每增加一種新科技的連結關係，展示設計的範圍就擴大了無數倍，展示設計的可能性就增加了無數倍。最近幾年來，展示設計家的想像力在各方面的推展，只能用「瘋狂」來形容。

　　博物館是一個比較貧窮的行業，又是一個有歷史包袱的組織，所以展示設計上的想像力常在館外的遊樂或商業設施上發揮出來。博物館的人員對這樣的發展持有三種立場，有些人仍然認為博物館有其「神聖」的使命，對於現代的設計，持有懷疑的態度。有些人則很羨慕娛樂界可以享有自由，以及用之不竭的財源，但自己的條件有限，只能不斷抱怨。也有些人則以現實的態度接受新展示的觀念，一心想把新技術馴服，使用於博物館的展示上。由於這些不同的態度，博物館界乃呈現各種不同的面貌。博物館不再是一個同質的名詞，在今天，如果不詳讀其介紹文件，是很難了解某一博物館的真正內涵的。

與視聽媒體相結合的展覽。

有一位朋友問我，哪種展示最為理想？答案是，在一個多元價值的社會中，並沒有最理想的形態，只能找到一種為大多數人喜歡的形態而已。但是以大眾為對象的展示，並不一定完全達到博物館展示的任務。畢竟博物館是一種文化機構，而文化是知識分子的小眾所最關心的。

比如說，文物性的博物館展出的主要目的，在於滿足具有文化情懷的小眾對文物的喜愛。很顯然，如果使用生動的大眾化展示去取代那些稀有文物的靜態展示，將使社會這一部分人士大感失望。最近幾年來，自然史博物館逐漸放棄標本陳列、改採具有吸引力之新式展示，卻使很多傳統自然史之愛好者感到失落。有時候，他們喜歡去看自然物的標本，因此有若干觀眾對於以模型取代實物標本的展示是頗有微言的。他們想看真實事物的內在願望，基本上不可能改變。一般說來，教育性與娛樂性的展示是大家所喜愛的，真實的、動人的標本也是大家所喜愛的。這兩者之間並沒有矛盾存在。在多元價值的社會中，也許博物館的展示方式應該同樣地具有多元性，以包容各種不同需要的人群。

中國人有句話是「雅俗共賞」，這是希望展示的品質應適合各個文化階層的口味。如果用今天的話來說，應該是「大眾與小眾兼顧」，因為我們不能再用「雅」與「俗」等傳統價值觀來描述不同的品味了。未來的展示設計家應該具有廣闊的胸懷，來容納多元的人群需要才好。

倫敦大英自然史博物館的標本展示。

維也納自然史博物館的標本展示。

18 教育人員是博物館的靈魂

——

　　自然科學博物館開館的時候，我勉勵同仁們說，博物館人員都是教育人員。在我的心目中，在博物館服務的人員，不論從事哪個專業，都應該負有一些教育的責任。這種泛教育人員的理念太過理想了，我承認在過去幾年間，推行十分不順利。生命科學廳開幕以來，本館的人員增加，專業分化，到今天，距離這個理想已經甚遠。

　　我自始至終認為博物館是一個充滿心靈開拓意味的名稱。因此我覺得到博物館工作的人，不論是哪一方面的專

台中自然科學博物館生命科學廳一隅。

　　　　　　　　　　　　　　　　　　　　　繆思談片

台中自然科學博物館科學中心一隅。

業，都應該有高度的好奇心。而富於好奇心的人都有與他人
分享發現樂趣的傾向。因此，每一位博物館人員都應該具有
引領觀眾進入知識殿堂的興趣。為了具體地表現這個理念，
開館時曾規定全館人員都著制服，以便觀眾識別，要求協助
或指引。如今我知道這個想法是不切實際的，博物館的工作
人員中仍然有很多是為專業而來工作的。所以認真地、現實
地解決問題，還是要就教育工作而談教育人員，要把博物館
的教育當一種專業來辦！

　　但是無可諱言的，在博物館的專業工作中，教育是奉獻
性質最濃厚的一環。在歐美傳統的博物館中，教育部門的地
位不高、人員不多，教育工作限於展品的解說，大多由義務
工作人員擔當這種情形，即使在今天的大多數博物館，尤其

是美術館中，仍然持續著。只有以教育為目的設立的科學博物館或科學中心，教育人員才居於主導的地位。

即使在這些以教育為主旨的博物館裡，教育人員的身分仍然十分模糊。他們一般的做法並不是引進一批社會教育人員，而是要求其他專業人員具有教育的熱忱與觀念。亦即在教育至上的理念中，研究人員要準備接觸群眾，展示人員尤其要以教育的效果為最高指導原則，來設計展示品，教育心理成為重要的課題，而由一些具有熱忱而非教育背景的人負責推動。

很顯然，在未來的博物館的事業中，教育專業人員要負更大的責任，有更積極的參與機會。因此，在博物館的組織

哈佛大學美術館。

　　　　　　　　　　　　　　　　　　　　繆思談片

台中自然科學博物館希望把博物館教育與學校教育結合起來。

中，教育單位的地位與發言權應顯著提高，教育人員的身分應得到認定。甚至研究部門也應該有專職的人員負責對展示的教育效果，從事經常性的研究，並把研究結果融入展示設計之中。如果要求教育單位所負責的「邊緣性」教育工作，包括解說服務、教育活動等須進一步加強，主題性的展示規畫與設計，也應該積極參與，則教育人員的地位必須制度性的提高。國立自然科學博物館在過去幾年的作業中，深深感到教育人員的重要性，及以臨時性人員勉強從事解說教育的弊端。同時也感覺到，在博物館的架構中雖然已提供了相當的發展空間，但因為無法促成專業研究與教育工作間的交融，使教育人員有升遷的困難。

博物館的象牙塔形象逐漸消失了，教育部門應該逐漸擴大，取代專業人員的功能。博物館第一線的人員應該先是教育工作者，然後才是專業者。沒有教育人員，博物館中將只有失去靈魂的物品而已。

19 倫理就是做人的道理

——

每一個為人所尊敬的行業，都要有行規，用比較鄭重的
話來說，就是這一行的職業倫理。博物館這一行是不是也要
有自己的行規呢？

雖然在博物館界的重要專業團體，如國際博物館協會1、
美國博物館協會2 等，都訂有「專業倫理規章」，但是我覺
得這是西洋文化中職業組織團隊的象徵，並不表示博物館界
一定要訂定一些行為章則，才能稱得上專業。一般說起來，

梵谷筆下的嘉舍醫生畫像。
（奧塞美術館藏）

繆思談片

最需要職業倫理（也可以稱為職業道德）的行業是自由職業者。所謂「自由職業」，是指以個人的獨特知識與技能為人服務，以獲取報酬的人，通常自由職業者是指醫師、律師、會計師、建築師等，其服務的方式乃以正式或非正式的合約成立的行業，也就是由被服務人委託而產生服務行為的行業。這些行業大多為特定的個人服務，基於信賴，接受特定個人的信託，因此他們要保持行業的信譽，必須有一種行為準則，使業者信守承諾，努力為委託人服務。

以醫師來說，如果要害病人太容易了，要病人多花些醫藥費更是易如反掌。所以自古希臘以來，醫界就規定在從事醫師這一行業時，要宣誓遵從職業倫理。醫師的服務涉及於生命，自然特別重要，其實其他專業，如律師、建築師，何嘗不是如此？他們玩點花樣，欺騙信賴他們的委託人都太容易了。在外國，對於這種需要特別注意倫理的行業，在教育上特別慎重，在學時不但注意學生的操行，而且盡量提高到研究院進行職業教育，以便學生先受過一些人文的教育，了解服務社會的道理，執業前要通過專門的考試，而且要參加協會組織，以便予以約束，若有嚴重違誤，就要吊銷行業執照。

比較起來，博物館並沒有這樣嚴格的專業條件，因此談起倫理，就有些空洞，略為具體的，就是不收藏一些不道德的物品，比如盜賣的美術品、稀有動物等等。在不具備專業條件的行業裡，並不是不需要倫理，而是不必要有專業倫理。事實上，做人做事有一定的行為準則，這就是人人所共同遵循的倫理。

一般說來，職業倫理有積極的規定，有消極的規定。我們平常所注意的多是其消極戒律式的規定。但是在博物館這種涉及於傷害極為有限的行業裡，所需要關心的是積極的服務精神的發揚。一個博物館的從業員，首先必須是熱心於公益，正直而有奉獻精神的人。其次必須在專業上有一定的知識與技能上的準備，不濫竽充數。今天的博物館人員，在定義上已經不只是傳統的研究人員（curator）了，而包含了以教育為職志的各種熱心人士，因此職業的倫理，應該更近似教師的倫理，而不限於監理、維護標本、文物工作的倫理。如果博物館人員真正需要一種行為的規範，也許是在多元價值的今日世界裡，以自己的良知，以無私無我的精神，為公眾的利益下最佳的判斷，做最好的服務吧！

佛羅倫斯百花大教堂圓頂建築大師菲利波‧布魯內萊斯基（Filippo Brunelleschi, 1377-1466）。

編註

1　按維基百科：國際博物館協會（International Council of Museums，簡稱 ICOM），是關於博物館學及博物館管理和運轉等的國際性非政府組織，於 1946 年 11 月在法國巴黎成立。在哥本哈根召開的國際博物館協會第 11 屆會議上，將博物館正式定義為：

「一個不追求營利，為社會和社會發展服務的公開的永久機構。它把收集、保存、研究有關人類及其環境見證物當作自己的基本職責，以便展出，公諸於眾，提供學習、教育、欣賞的機會。

2007 年將博物館的定義修訂為
博物館是為服務社會及其發展所永久設立的非營利機構。博物館對大眾開放，以取得、保存、研究、詮釋與展示人類及環境的有形和無形遺產，達成教育、研習與娛樂等目的。

2019 年年會提出博物館的新定義
博物館是一個讓過去和未來進行關鍵對話的空間，具有民主性、包容性和多音性。博物館面對並處理現在的衝突與挑戰，為社會信託保管文物標本，為未來世代保存多元記憶，並確保人人對遺產享有同等權利和同等近用。

博物館具可象與性和高透明度，且不以營利為目的。它們為各種社群積極合作，進行收藏、保存、研究、詮釋、展示和增進人們對世界的了解，旨在對人類尊嚴、社會正義、全球平等及地球福祉做出貢獻。」

因為新定義具有爭議性，最終之決議是於 2022 年年會投票決議。該協會主要任務包括：（1）建立博物館專

業卓越標準，修訂「國際博物館協會博物館倫理準則」（ICOM Code of Ethics for Museums），闡述博物館社群及其從業人員應遵循的基本前提；（2）主持國際論壇：與國際文化資產公約締結正式關係，集結各國專業人才貢獻所長；（3）發展專業交流網絡：邀集所有會員及專家學者等，探討博物館相關論題；（4）領導全球智庫：旗下 31 個國際委員會在各自領域中進行深度研究，審視、反思博物館暨世界遺產相關議題；（5）跨國使命：與聯合國教科文組織、國際刑警組織（International Criminal Police Organization，通稱 Interpol，縮寫 ICPO）、世界海關組織（World Customs Organization，簡稱 WCO）合作，共同打擊文物走私、實施風險管理、傳遞文化知識並保護有形和無形遺產。1977 年，國際博物館協會將 1977 年 5 月 18 日定為第一個國際博物館日，並每年為國際博物館日確定活動主題。2013 年 7 月 1 日，國際博物館協會國際博物館培訓中心在北京故宮博物院成立，對世界各地的博物館專業人員舉辦兩期培訓班。

2　美國博物館聯盟（American Alliance of Museums），昔稱美國博物館協會，於 1906 年成立，總部設在美國華盛頓哥倫比亞特區，宗旨在提供美國博物館的行業標準，提高博物館社群理念，收集和發布博物館相關訊息，並每年召開會員大會及展覽。

美國堪薩斯市肯帛當代美術館（Kemper Museum of Contemporary Art）。

五卷

20 永恆的角色衝突

—

　　不久前澳洲一位博物館館長來訪，他知道我的本行是建築，因此問我一個很困難的問題：他的博物館正要進行一次主要的改建，我是不是贊成建築的外形要大膽地象徵博物館的性質？他的博物館是科學館，可以想像得到他心目中的「象徵」，應該是能代表「科學」的形狀，與今天我們所看到的一般建築的邏輯大不相同了。

　　對於這樣的問題，我實在不會回答。如果我是建築設計者的身分，我會作肯定的答覆；如果我是博物館館長，我會作否定的答覆。因為這兩種角色的衝突是永恆的。建築設計

澳洲坎培拉澳大利亞國立博物館。

澳洲雪梨動力博物館。

澳洲墨爾本博物館一隅。

者的角色非常單純；他是個創作者，是藝術家，他的最高希望是給他一個機會，發揮他的理想。博物館是文化的象徵，又可傳之後世，不會輕易被拆除，如果能有獨特的創造，就是他個人事業的巔峰，這是他一生的目標。可是他一旦建造完成，就滿意地離去！忙別的業務，追求更多的創造機會去了。

博物館館長的角色就很複雜了，他也要肩負創造的任務，但管家婆的成分遠較藝術家的成分為多。建築物本身不是他的理想，而是其中的收藏，以及大眾教育的效果。要注重收藏與教育，管理、經營的實務就十分重要。因為建築完成後，才是施展身手的時候。要考慮建築能不能達到良好的目的，當然也很希望有一座值得驕傲的博物館建築。

有一個通俗的比喻來說明兩者的關係。建築師是男性，博物館是女性。女性都喜歡風流倜儻的男性，因為他們會營造多采多姿的生活，然而常常不負結合的後果而離去，而此

後果則由女性終生來負擔。這就是為什麼很多女性寧嫁老實人的原因，兩者的角色矛盾與期望的差距永遠存在，要怎麼下決定，只有當事人才做得了主。

最近美國建築雜誌《PA》上刊出一篇社論，在討論到藝術批評家肯尼斯[1]認為博物館這種文化守門者的角色不應該繼續存在時，還是支持博物館的存在的。建築師與博物館之間誠然存在著永恆的愛與恨的衝突，但是，和男人與女人的戰爭一樣，其間的關係是缺一不可的。肯尼斯的論調，是對美術館而發的，其實並不新鮮。多年前我在念建築時，就已經討論這類問題了。尖端的批評家們常常結合學術界對既存的社會結構提出檢討。博物館在當時被認為是文化遺體的收藏所，太缺乏生命了。文化的產品應該歸於生活。尤其是美術，應該放置在日常生活空間裡，而不是古老式樣的博物館裡。記得有一位同學建議把博物館變成一個市街，用大玻璃砌成，讓市民都可以於經過時欣賞到其中的藏品。類似的想法很多，由於沒有考慮到收藏品在人類文化上的珍貴性，這類想法很可愛，卻都是不切實際的。

建築的職業界從來沒有接受過這樣的觀念，如同男人需要女人一樣，博物館一直是建築界追逐的對象。而博物館的任務擴大了，定義放鬆了，建築表現的尺度也跟著放寬了，永恆的愛與恨的關係，將不斷地持續下去。博物館將持續地為找一位適當的建築師而頭痛，如果你一定要問我，找一個既體貼又富於表現力的人吧！可是這樣的理想丈夫，世上有多少呢？

編註

1　克拉克男爵 ── 肯尼斯・麥肯齊・克拉克（Kenneth
Mackenzie Clark, 1903-1983），畢業自牛津大學三一學院，
27 歲出任牛津阿什莫林博物館館長，三年後成為英國國
家藝廊館長，在任達十二年之久。1969 年製作主持電視
系列片《文明》（Civilisation - TV series），深受好評，是
英國推廣藝術教育普及化的巨大推手，BBC 英國電視公
司和泰特美術館都稱他為二十世紀藝術最具影響力的人
物之一。克拉克男爵該系列影集內容撰寫成書，於 1969
年出版。該書的中文譯作有：楊孟華譯《文明的腳印》，
台北桂冠圖書股份有限公司，1989/08/01；易英譯《文明》
簡體版，北京中國美術學院出版社，2019/01/01；馮奕
達譯《文明的腳印》，台北野人出版社，2022/12/07。

《文明》一書第七章〈崇高與服
從〉（Grandeur and Obedience）論
及貝尼尼（Gian Lorenzo Bernini,
1598-1680）的作品 ── 阿波羅
與黛芙妮（Apollo and Daphne）。

21 登錄員角色的瞻望

—

　　在國立自然科學博物館的籌劃中，最大的缺失就是忽略了收藏品登錄這一環。如果我要勉強解釋當時的決定，只能以階段性發展為理由。在籌畫開始時，外在的條件是，國家需要以普及大眾科學教育為目的的博物館，包括教育部在內的上級政府並不十分願意接受以蒐藏研究為中心的計畫。蒐藏研究功能的合併是這種條件下的產物。當時的內在條件，則因計畫自零點開始，收藏品只是個概念，不能引發爭取設立此單位的動機。

大英博物館。

大英博物館古典時代的雕刻。

坦白地說，當時極力爭取在編制中以蒐藏研究單位為主體，與我所了解的國外一些中小型博物館的制度有關，忽略登錄與管理作業的重要性是全世界博物館界的問題。在電腦化進入登錄作業之前，各博物館的蒐藏庫的集中管理幾乎是不可能的事。博物館，尤其是收藏數量通常甚為龐大的自然科學博物館，其收藏作業必然與其相關之研究單位有直接關係。所蒐集之標本與博物館的其他活動的相關性遠不及與學術界同業間的相關性。這是與美術類博物館大不相同的。其一就是電腦這種工具。我曾去大英博物館的地下倉庫，看過他們的古典時代的雕刻，去維多利亞與亞伯特博物館樓上，看過他們的中國陶瓷的倉庫，只能用「堆積」二字來形容。即使數量不是大到不能控制，要他們找出某一件作品，是不可能的事。只有專業的研究人員走到這種倉庫中，憑他們的

維多利亞與亞伯特博物館。　　　　　　維多利亞與亞伯特博物館的雕塑。

知識與眼光選取他們需要的收藏品。館外的專業人員尋找資料，恐怕也只能由館員陪同，闖到收藏庫去尋寶。不知這幾年他們的電腦化作業進行得如何了。電腦化，尤其是帶有彩色照片的輸入方式，使收藏庫成為一個可以經由非專家或半專家控制的庫藏。因此博物館的收藏就可以與展示與教育的目的掛鉤了。

　　其二是博物館的功能逐漸以展示與教育為重，博物館的收藏品既然是一個無法取代的資源，它就應該盡可能地呈現給大眾。有些博物館開始開放收藏作業的部門給大眾參觀。有些則把標本製作當作展示的一部分。可是最徹底的辦法就是把博物館的收藏庫與圖書館的圖書資料一樣提供給社會。

到目前為止，這只是個觀念，世上恐怕還沒有一個博物館做到這一點。如果朝這個方向做，那麼典藏部門就成為博物館業務的中心。博物館的教育人員就要圍著收藏庫，以介紹標本為主要工作。他們要與圖書管理員一樣，幫助觀眾取得標本、尋找標本，而且提供大量的相關資料。博物館這個名詞在西方的原文中，本是圖書館的意思，會不會有一天真正可以與圖書館同樣的作業呢？

博物館界要努力走上這一步，首先要克服技術上的困難，擴大電腦在收藏作業上的用途。其次是逐漸改變觀念，使博物館教育重新立足於標本之上，當然在大眾教育日趨娛樂化的今天，這不是一件容易的事，即使認真地推動，也先要一群熱心的博物館教育家積極參與才成！

自然科學博物館的圖書室。

22 需要更廣闊的運作空間

——

　　我國博物館的發展所面臨的最大瓶頸是人才，而徵集人才最大的困局，是沒有人才可以適當發揮潛能的組織與管理體系。我們也許可以建造在硬體上屬於第一流的博物館，要使這些硬體建設真正發揮功能，一定要在組織與管理體系上大刀闊斧地改革才成。

　　博物館，不分中外，是一種多重性格，帶著神祕色彩的組織。它們多半受到誤解，得不到政府的重視與足夠的支持，但是卻被認為代表國家的形象。它們在學術上似乎不能與大學和研究機構相提並論，但是在展示與藏品的學術嚴謹性上，卻要求得十分嚴格。近年來，世界各國博物館的趨勢，要求提高教育與娛樂效果，甚至減少政府的補助，迫使博物館經營商業化，以求財務自足之道。因此博物館是一個收藏

博物館經營商業化的方法之一是擁有餐廳：加拿大魁北克國立美術館（National Museum of Fine Arts of Quebec）的餐廳。

博物館經營商業化的方法之一是藏品文創化：巴賽爾人類學博物館賣店中的文創商品。

庫，是一個大學與研究所程度的高深研究單位，是一個中、小學學童的學習園地，是個社會大眾的休閒場所，是業餘收藏家比對藏品的地方。同時，它又是個半商業組織，必須推動自己，迅速地反映社會的脈動，以吸引觀眾，以達到教育與財務兩方面的目的。

　　一個小小的機構，要扮演那麼多角色，真是如同一個怪物，要外人如何捉摸？所以政府官員與社會人士對博物館加以描述的時候，不免以各自的認識下判斷，予人以瞎子摸象的感覺。這樣一個複雜的功能體，要充分地、靈活地發揮作用，其組織如何合理化，確實是一個考驗管理學家頭腦的挑戰！所以世界上運作比較靈活的博物館，是西方國家，尤其是美國，以公益法人方式組成，具有最大運作彈性的博物館。大部分的歐洲博物館均為國立，但它們的運作與大學類

似，都得到適當的彈性運作的授權，以理事會或董事會為最高決策機構，以避免受到國家公務體系的剛性架構的束縛。日本的國立博物館在功能的發揮上，一直落在西方國家後面，就是因為它們到今天仍然用國家的法律來管束其組織與功能。很不幸，我們的模式為抄襲日本而來，近年來，雖然教育主管機關抱著極端支持的立場，也沒有辦法脫離困局。

組織改革的第一步，是使博物館體系脫離公務機關的範疇，成為一個半自主的單位。最近本館受教育部委託所擬定的博物館法草案，就是根據這種精神去擬定的。法律的功能是設定一般的原則與規範，其組織與人事則可在教育主管的衡量之下，賦予適當的運作彈性。這個草案沒有建議西方的理事會決策系統，因為考慮國情，改革的步調不能邁得太快。

最終的解決辦法，必然是公益法人化。國家是以主要贊助人的身分來影響博物館的決策；博物館必須得到充分的自主權。這不是爭權，因為有權力必須有義務。一個有自主權的博物館，它的表現的成敗，甚至財務的狀況，進而爭取民間的支持，都成為博物館的自負的責任。我們希望有一天，博物館成為一個有志於大眾教育者自由運作的園地。

博物館經營商業化的方法之一是出借場地：密西根州密爾瓦基美術館。

23 「教」「化」之間

——

博物館與學校之間有關係嗎？有。兩者的目標中有一共同點，那就是提供學習的機會。

很多了解博物館職責的人認為博物館應該設法與學校合作，以補充學校教育之不足。這是很正確的看法。所以有些博物館，尤其是與中小學課堂教育內容有關的科學博物館，常有成群的巴士載了上課的學生到館參觀，甚至利用博物館之展示做為施教的工具。美術館是另一種教室，在國外藏有名畫的美術館，是美術系的學生臨摹的場所。然而在骨子

美術館常是學生臨摹畫作的場所。

裡，博物館的教育與學校教育是不相同的。兩者之區別在於學校是一種正式的教育，博物館所執行的是一種非正式的教育。

學校為什麼受到社會大眾的重視呢？因為在現代社會中，以點名與考試為手段的學校教育是一種剛性的制度。一個現代人必須接受若干年的學校教育，以學習到必要的知識與技能；因此學校教育是強制性的。即使是高等教育，雖非國家所強制，由於社會接受畢業證書為一種成就的指標，也成為年輕人所努力爭取的進身之階。而非正式的教育，在一般人的觀念中卻是可有可無的。

非正式教育是否在需要性上低過正式教育呢？是很值得商榷的。如果把教育的觀念推展開來，自比較廣闊的視角觀察，教育應該解釋為教化。「教」是指知識的灌輸與技能的傳授，是自上而下的，所以學校教育會出現反彈。自古以來，學生就反抗課堂的傳授。因此正式的教育對於溫順的青少年固然如魚得水，對於具有自主觀與反判性的青少年，學校是可怕的，因而走出課堂、丟掉書本的學生自古就不在少數。他們是被正式教育所犧牲的一群。這種情形到今天仍然沒有改變。台灣的學校教育已經嚴重到需要徹底改革的程度了，可是改變的方向不過是走上美國自由化教育的途徑，而美國的學校教育的失敗，已經成為布希總統致力改革的對象。原因何在？就是沒有做到「化」字。

「化」是指非強制的教育，是潛移默「化」，在無形中達到教育的目的。學習過程中，出於興趣而得到的東西都近於「化」。自動自發學到的東西影響青年一生最為深遠。在今天的教育理論中，希望能把教化合一，綜合在課堂教育裡，可是

由於「教」的本質為強制性，加上教師涵養的限制，其成功率非常有限。

　　博物館的教育理念恰巧可以彌補正式教育的缺陷。博物館強調直接經驗的學習效果，可以彌補課堂教育偏重於抽象思考的缺失。博物館強調的好奇心啟發的學習動機，可以彌補課堂教育比較功利的學習動機的缺失。自博物館的教育家看來，遊戲也是一種學習，而學習並沒有一定的目標。這才是「化」字的精髓所在。

　　展望未來，學校教育與博物館教育之間愈來愈發揮互補的作用了。學校要博物館化，博物館也要學校化。國立自然科學博物館在後期的發展中，就包含了博物館劇場教室（classroom - theatre）的設計，正是朝著這個方向去嘗試的展示方式。對於終身教育的學者而言，這個方向是不是更肯定了博物館是大眾學校的觀念呢？

博物館強調直接經驗的學習效果。

六巻

24 未來的教育主流

—

　　博物館是一個教育機構,已經完全沒有疑問了。它是一種不可或缺的教育機構嗎?有些人可能還要想想。愈是落後的國家,這一個問題的答案愈模糊。博物館在教育上的功能好像只有富有的國家才能完全接受。英國的博物館不但數量多,而且觀眾特別多,而落後的國家,即使有少數博物館,民眾也不願意光臨。中國大陸的博物館,觀眾出奇地少。那麼多人口的國家,又是最重視教育的中國人,居然少去博物館。博物館是教育機構,可是在窮人的理念中,那並非不可或缺的。也許他們認為博物館是有錢人的玩意兒吧!博物館

大英博物館。

繆思談片

羅浮宮。

北京故宮。

確實予人富貴的印象。大英博物館、羅浮宮，包括故宮在內，都是宮殿之中蓄有國寶的形象。對於一般人，這些都是開眼界的地方，與教育未必完全相關。也就是其教育上的價值可有可無的。中國大陸的民眾到故宮參觀，是看故宮那座建築，看故宮當年的帝王、后妃的居住環境及珍貴器物，這也是教育，但並不切身。但是在進步的國家，博物館已放下高貴的身段，負起教育的責任，而且逐漸成為不可或缺的教育機構了。

為什麼？因為時代變了，傳統的灌注式教育方法已經不能為現代的孩子們接受了。在過去，一間課堂，幾本課本，一位手執戒尺的老師就可以把孩子們教得很好。所謂讀書，就是埋頭課本。好孩子都有種耐心與定力，把書本讀好；能記得牢，能反覆溫習。書本之外，他們需要的是一枝鉛筆、

博物館是不可或缺的教育機構。

繆思談片

一本練習簿。今天的孩子不同了，只有極少數的既聰明又乖的孩子可以接受純知性的教育。他們對電動玩具的興趣太濃厚了，他們在電視與錄影帶的成人環境中長大，變得極為早熟，非常沒有耐心學習。而今天的教育理論，老師是不能用戒尺的，老實說，美國的教育失敗，就是教育方法無法解決現時代的教育問題。孩子們野了，無法收心讀書，因此趣味與生活取向的，結合娛樂與學習的，啟發觀念的科學博物館的教育方法，逐漸成為主流。學校教育開始要以博物館教育為模式求發展了。

不但如此，在快速進步的國家中，成年人甚至老年人已經不能以年齡與經驗來領導年輕人。他們需要不斷吸收新知，才能使他們的智慧發出光芒。博物館非正式的教育方法是適合他們的。為什麼落後國家不覺得博物館教育重要？就是因為他們的社會還沒有進步到認識非正式教育的重要性的地步。在台灣的我們眼看已經走到這一步了。未來的台灣應領先世界一步，把博物館與學校一樣的看待，在各地方、各城市廣泛地設立各種性質與規模的博物館，開放給中、小學共同使用。不僅科學要有現代化的展示，美術與人文學科也要有現代化的展示，使孩子們自參與中學習，養成求知的習慣。自然科學博物館在即將完成的建設中，包括了若干博物館教室，就是打算實驗這種博物館學校的可行性，希望把博物館教育與學校教育結合起來。但是如何推廣，就是教育界的共同責任了。

25 博物館觀眾之謎

博物館與觀眾之間，用今天的字眼來說，是一種商店與顧客的關係。博物館的目的是服務大眾，它的崇高目標只有觀眾上門才能達到。反過來說如果觀眾不上門，博物館存在的價值就值得懷疑了。因此世界上的博物館都是以觀眾人數為成敗計算的依據。

可是博物館以觀眾為命脈，卻不能完全與商店的服務態度一樣。商業的服務必須信守「顧客永遠是對的」那句話。在商業上，顧客的需要就是一切，但是博物館與觀眾之間除了「滿足需要」之外，尚有一種雙方共同信守的目標，那就是教化。觀眾進入博物館抱著接受教化的心情，而博物館則以提供高度的教育與文化的展示為開館的基本原則。由於多了這個目標，博物館與觀眾之間的關係就複雜化了。理論上說，博物館的貢獻就不能完全以觀眾數字為計算之依據。一個觀眾量少，但觀賞品質高的博物館，在教育與文化的目標上，可能超過一個觀眾量大而大多走馬看花的博物館，因此價值的評量成為一個很困難的工作。

觀眾是很難捉摸的。一座認真經營的博物館，幾乎不能避免地用各種方法來了解觀眾，以建立其本身存在的價值。面對這種挑戰的，以科學性博物館為最嚴重，以美術性博物館最輕鬆。美術館的姿態很高，通常並不考慮觀眾問題，尤其是第一流的美術館，以最享盛名或最高級的美術品為收藏

佛羅倫斯烏菲茲美術館典藏
的文藝復興名作：波提切利的
《維納斯的誕生》。

佛羅倫斯學院美術館典藏的
文藝復興大師米開朗基羅的
傑作《大衛像》真跡。

對象者。這樣的美術館，只要有良好的陳列就可以了。來館的觀眾非常少，但必然深度觀賞。他們大多是專家或收藏家，或美術系的學生。所以傳統形式的美術館主要的工作就是收藏。有了第一流的收藏品，其他問題都解決了；反過來說，如果沒有好的藝術品，再大、再漂亮的館舍也是沒用的。

觀光性的大型博物館也沒有觀眾問題。大英博物館、羅浮宮博物館與我國的故宮博物院屬於此類。觀眾的目的大多為慕名到此一遊，與一般博物館的作用大不相同。它們都有以百萬計的觀眾，也有很少數專為美術品來訪的專家觀眾。其中羅浮宮，因地處巴黎市中心，其觀眾之多，擁擠之至，已到了完全失掉觀賞品質的程度。最有觀眾問題的是科學性博物館。近二十年來設立的科學博物館概以教育為主要目標，其設備與教具無異，因此投資在展示上的費用是消耗品，不是有永久價值的美術品，這些投資如果不能得到教育的效果，就是資源的浪費。尤其是私人支持的博物館，沒有積極的效果，不能吸引大量的觀眾，其存在的價值就令人懷疑，可能面臨關門的命運。

據專家研究，美國在 1980 年代的十年間，科學博物館不斷增建，但整體說來，觀眾並沒有增加，而且有少量減少的趨勢。這種現象的原由，是博物館學的一大挑戰。這是供給面的問題呢？還是需求面的問題？供、需之間的問題又出現在哪裡呢？這樣的問題不但美國人應該注意，正在興建大量科學博物館的我國，更應該深入了解才好。

巴黎科學城。

倫敦科學博物館。

26 環境保育的尖兵

—

　　誰也沒有想到，在今天，全世界的博物館肩負起環境保護尖兵的責任了。博物館自十九世紀以來，所負有的任務幾乎完全是對環境的破壞才能達成的。西方帝國主義不惜以軍力為後盾，派遣考古學家到各落後的古文明國家，大肆挖掘，破壞古文明的遺址，以研究為名，盜取古物為實，使西方各大博物館積滿了寶物。學術研究與獵取古物之間，界線已經很難劃分，但至少揭開了若干古文明的奧祕。而西方博物館在二十世紀 1930 年代之前，對中國古文物的獵取，研究得很少，廉價現場收購，甚至導致地面文化遺物的破壞，

掠奪自希臘帕德嫩神殿的神像雕塑是大英博物館的典藏。

廟宇內唐宋佛像往往是西方博物館的珍藏，波士頓美術館的中國石刻佛像。

機械至上、科學萬能的觀念使得汽車是博物館的展品 —— 德國慕尼黑寶馬博物館。

如同各石窟寺、北朝佛像的大量損毀，廟宇內唐宋佛像的全面消失，博物館曾經是帝國主義罪行的代理人。

　　二十世紀開始，象徵西方工業革命勝利的科技博物館踏上了博物館的舞台。機械文明是西方人的驕傲，也是西方人「人定勝天」的觀念發揮到極致的表現。科技展延續了十九世紀工業展覽的傳統，成為社會的寵兒，不是聲光化電，就是車、船、飛機，以奇技淫巧為尚。但是推廣機械至上、科學萬能的觀念，就是問接推廣征服自然的價值觀。直至 1960 年代的末期，能源危機來臨，環境污染逐漸受到重視，這股過分自信的科學主義的風光才略為收斂，科技館才強調人文價值，並包含環境科學在內。

　　在博物館界佔有主要地位的自然史或自然科學博物館，

在本質上與環境有不可分割的關係。這是真正經科學研究出發的博物館。可是在帝國主義盛行的時代，自然的研究以自然資源的調查為主，至多與自然的演化為學術，尚缺乏環境的觀念。到二十世紀，自然物的收藏失掉了訴求對象，自然史博物館一度陷於低潮，直到自然與生態二字連上關係，才刷新展示的方法，開拓教育的境界，理所當然地負起推廣環境保育觀念的重責。到今天，幾乎新設的博物館無不與自然史有些關係。在環境保護備受關懷的時代裡，一切的博物館，包括美術性博物館在內，都多多少少分擔一部分責任。除了少數以國家寶藏儲存庫為主要目標的博物館外，博物館要向社會開放，要關懷社會。在展示的內容與方法上，生態體系的觀念是一個核心。美術館可以展覽以環境為主體的美術品，提高環境意識，台北市立美術館在過去幾年時常舉辦建築或與建築有關的藝術，就是很好的例子。

毫無疑問的，環境意識與生態保育將成為一切博物館共同關心的課題，將因此使各類博物館的展示有相互交疊的空間，增加它們之間的一致性。自一個角度看，博物館是一個向公眾開放的教育單位，參觀者對於知識的渴求，並沒有類別的差異，在美術館中展生態，在科學館中展美術，對觀眾而言有益無害。嚴格的分類是管理者的觀念問題。實在說來，展示的多樣性在學習的過程中可以減少疲勞，提高興趣，收到更理想的效果。

博物館人都應該是有文化意識的環境保護主義者，這在未來可能是博物館與遊樂場的主要差異。二十一世紀首要的道德規範是不破壞環境，不論是人文的，還是自然的。

台北市立美術館舉辦的建築展。

2016年膺選為美國綠建築環境永續金獎的華府非裔美國人歷史暨文化博物館（National Museum of African American History and Culture）。

27 雜牌成軍之道

——

博物館這一種專業，在歐洲，有百年以上的歷史，但工作人員卻一直沒有專業化。什麼是博物館人員？除了粗略的認定為從事博物館工作的人員之外，沒有辦法在專業的性質上明確的定義。這也許是「博」字作祟吧！

自有博物館以來，從事博物館工作的人員就是來自各個不同的行業。研究人員來自大學或學術界，行政人員來自一般社會，展示人員來自設計界與工藝界，教育人員來自各級學校，這實在是個大雜燴。這些各個行業的人員，基於某種特殊的理由來到博物館。他們也許是因為愛好文物，喜歡收藏與採集；也許是因為喜歡群眾或兒童，願意幫助別人了解博物館的展出；也許只是為了博物館富麗堂皇的建築，喜歡這樣的工作環境，甚或只是找不到其他工作。然而這些人湊在一起，卻是共同從事一種神聖的專業，這樣一個雜牌軍怎麼負起重要的責任來呢？

確實是個問題。在過去，博物館被視為文物的典藏庫，對社會的影響十分有限，問題尚不甚嚴重。但到今天，博物館已經是文化傳播的尖兵，社會教育的重鎮，社會大眾的期待十分殷切，繼續由一些雜牌軍擔當，實在是說不過去的，那要怎麼辦呢？

只有加強培訓，所謂培訓，就是在職訓練或帶職訓練。

繆思談片

在過去博物館被視為文物的典藏庫——北京故宮博物院。

已經到博物館工作了，尚不了解如何從事博物館業務，就請一些有多年工作經驗的先進，在比較短的時間內，為現職人員補習，增加他們專業的認識，提高專業的工作效能。在訓練中，是以他們的工作崗位為實驗場地，因此短期的培訓可以迅速達到教育效果，比起漫長的學習教育來要實際得多。博物館專業化的困難是內容駁雜，乃難在大學裡建立有系統的教育單位，博物館的內容，文物、科學、藝術、民俗、生活，幾乎無所不包；其工作則蒐集、典藏、研究、展覽、教育，堪稱五花八門。大學裡一個正常的教學單位，不論是系或所，都只能涉及其中一小部分。少數設有博物館教學單位的學校，偏重於美術或文物館，而這兩種傳統意味濃厚的博物館，通常最不需要高層次的專業訓練。在美國主要的藝術史研究所裡，都有經營博物館的課程。

展望未來，大學與研究所的博物館教育是必然要發展的，在現代社會中沒有一個專業不需要大學教育來培植高級人力的。所以在不久的未來，博物館學的畢業生會增加。但他們能不能取代短期培訓呢？不可能。國立自然科學博物館曾選派兩人到英美兩國就讀，他們是優秀的工作伙伴，但學院式的教育似乎只能在相當狹窄的知識領域內提高它們的水準。博物館的主要工作是社會趨向的，是廣面的，涉及的專業知識，除研究工作是非常技術性的。這樣的專業，最需要實際經驗，最適合短期的培訓。

　　我國博物館事業一日千里，所需專業人才甚多，有效地解決人才問題的辦法，就是建立正式的短期培訓制度。

博物館的專業技術性維護研究——德州福和市金貝美術館的維護室。（©Kimbell Art Museum）

七卷

28 收藏何以需要政策？

——

　　博物館是以收藏為基礎的。這句話目前受到考驗了。在博物館產生的歷史上，是先有收藏後有館舍的。因此在過去，沒有人懷疑博物館必須自收藏開始的觀念。近二十年來，傳統的博物館面臨嚴重的危機，它的形象若不是一座死的收藏庫，就是有錢人玩物的寶庫，因而為社會大眾所揚棄。為求存在，博物館擔當起大眾教育者的角色。今天的博物館在民眾的心目中，收藏不再是必要的了，教育的績效才是眾所注目的任務。波士頓的科學博物館前幾年就結束了其收藏業務，全力在搞展示與教育了。

波士頓科學博物館。（©Wikimedia Commons）

耶路撒冷博物館收藏的史前文物。

那麼收藏真的沒有意義了嗎？相信真正的博物館人是不會接受這個想法的。很多熱心的博物館工作者，雖然體認到教育的重要性，仍然會認為收藏品對博物館是重要的。世界上只有博物館負有收藏自然物標本與人類文物的職責，而負有大眾教育任務的卻不一定是博物館。基於這個理由，放棄收藏責任的博物館是不明智的！

可是今天的博物館已經不再為收藏而收藏了。在過去，一座大型的博物館幾乎毫無邊際地蒐集一切有收藏價值的東西。今天我們知道，收藏本身是很昂貴的行為。一件收藏品需要相當的空間與設備去安置與保存，需要資料卡片，需要進入電腦，以便供研究者使用。歐美很多歷史悠久的大型博物館，因為收藏太雜太多，已經成為一種負擔。他們既沒有足夠的空間去儲藏，又沒有足夠的人員去照料，即使利用電腦化，也有不知如何下手之感！何況可收之物如此之多，經費又永遠不足，該如何選擇？

這就是蒐藏政策此課題出現的原因。政策不是技術問題，而是一個大方向的決定。當我們想到某博物館的蒐藏政策的時候，其意指應該是最基本的原則。收藏是不是被認定為博物館最重要的任務呢？為什麼要收藏呢？要達到怎樣的目標呢？有沒有收藏的重點呢？重點又何在呢？有沒有收藏的時間表？為什麼？

凡是政策，必然是有爭議的。政策是某種理念下選擇的結果，因此容易因人而異。對於國家而言，元首更換，政策必然會更換，可是對於學術性、教育性機構的博物館，政策變更得太頻繁，容易造成無謂的浪費。所以博物館的蒐藏政

策應該謹慎考慮，建立共識，至少要實施十年以上，才符合博物館的利益。最好是在時代的需要顯然改變之後，再考慮更新擬定政策。

以美術館來說，蒐藏政策就各有千秋。有些館的政策是求精不求量，它們願意花費大部分經費購買世上第一流的名作。但有些館，衡量美術發展大勢，希望以較低的價錢購買大量的美術作品。甚至賣掉名作也在所不惜。有些館重點在近代，有些則著重在古典。其背後都是有理念、有遠大目標的，最可怕的是一窩蜂，跟著別人訂定目標，看別人買什麼就搶著買什麼，或想到風就是雨，三天兩頭的隨興改變。很不幸，國內很多博物館正是如此，都談不上蒐藏政策，因此公立博物館也無法協商一個可以互相配合，考慮整體利益的蒐藏計畫。

以藍騎士畫派為蒐藏政策的德國明斯特（Munster）威斯伐倫—利珀州藝術和文化歷史博物館（LWL-Landesmuseum für Kunst und Kulturgeschichte）。

繆思談片

29 生活化的博物館

——

　　今天在台灣談社區博物館是很難找到知音的。要接受社區博物館的觀念，必須徹底改變對博物館的看法。在我國，民眾對傳統博物館的觀念仍然很模糊，要跳到最先進的思想，把社區與博物館連在一起，在觀念上恐怕要一陣子的調適才成。

　　不久前，我在省立美術館的一個討論會上，聽到有關美術與社會關係的討論，發現我國的博物館人員提到社區與

苗栗縣三義木雕博物館。

　　　　　　　　　　　　　　　　　　　　繆思談片

宜蘭縣頭城蘭陽博物館。

博物館的時候，只想到如何得到社會大眾的支持，怎樣使社區的民眾有錢出錢、有力出力來支持博物館，至少常常來館參觀。很少人想到博物館要為社區做些什麼。在觀念上，社教單位的工作人員認定自己的工作對社區民眾絕對是有價值的，從不懷疑博物館存在的意義。在這樣的觀念基礎上，談社區與博物館的互動，真是緣木求魚。

一般說來，博物館是文物的寶藏，學術的重鎮，對於它們所建立的地點及其鄰近社區，並沒有特殊的關係。通常博物館的從業人員，總以為居住在鄰近地區的民眾是很幸運的，一方面他們沾了些文化的色彩，同時他們可能因觀眾帶來商業利益。在這種傳統的觀念裡，博物館的價值是絕對的，它的存在是為眾人的利益。愈是重要的博物館，其收藏與展示愈具有普遍性與珍貴性。它的運作與展示高高在上，與當地居民毫無相關，因為第一流的博物館可以吸引全世界的觀眾，鄰近的居民只會因與博物館為鄰而感到驕傲！

社區博物館是一種新觀念。博物館不應該只是超然世上的寶庫，應該是與鄰近社區生活息息相關的。博物館應該因社區而存在，為社區所共治、共有、共享。它是社區的資料庫，是社區的休閒與教育場所，是社區的歷史與紀念性機構，也是社區的象徵。在這種情形下，博物館的人力與財力問題，當然也是社區民眾共同的責任了。

接受了這個觀念，首先要認識博物館不一定要規模龐大才有價值。學校有大學與小學之分，小學的重要性不亞於大學。同理，博物館因其功能，也有大小之分，即使小到社區博物館，其價值也是很顯著的。要認真地把博物館與觀眾結

新北市鶯歌陶瓷博物館。

新北市八里十三行博物館。

合在一起，小的比大的好，分散的比集中的好，內容屬於地方性的比屬於全國性或世界性的好。在我國，博物館正朝龐大型發展，要大家了解「小的就是好的」，實在很不容易。

其次要認識，博物館可以由民眾直接參與，不一定全要高檔的專家以專業知識去管理。專家可以提供專業協助，可是要怎麼辦，辦些什麼，社區的領袖，甚至一般有興趣的民眾都可以發表意見，積極參與。地區的民眾遠比專家更了解哪些是重要的、哪些是與生活有關的。甚至展示的方法以土法為之，比起專業設計師的風格更親切近人，更能達到展示的目的。

最後要知道，博物館的藏品價值，人文價值比市價更重要。價值連城的東西如果與地區民眾沒有感情上的關連，其實並不是最理想的展示品，反而會增加管理的困難。社區博物館的展示要能傳達當地民眾的心聲，使他們自己感動。實際上，最理想的社區博物館是沒有界線、沒有牆壁的博物館。

幾年前文建會利用各文化中心的空間，因其地區之不同，規劃為專業性的博物館。這是一大步，但與博物館地區化與生活化還有一段距離。這幾個專業博物館雖然與地區產業特色略有相關，但專業化的目的是為服務全省觀眾，與當地民眾的生活並不甚密切。以生活為主導的社區博物館，應該是內容無所不包而生動活潑的博物館。如果一定要為社區博物館下定義，它是一種迷你型地方史博物館，好像地方誌一樣，生動地、但嚴肅地表達出地區的成長過程，影響地區發展的人與物。它有助於我們了解自己的過去、現在與未來，使我們更能了解生活的意義，選擇自己的生活方式。

花蓮文化中心的石雕博物館。

強調帶動跨世代、跨領域、多元文化價值交流的大學美術館——台北師大美術館。

30 為什麼「展示」?

―

　　有位朋友問我，經營博物館多年，我對展示設計有什麼基本看法。展示是一門包羅萬象的學問，要我說幾句話來概括，實在很困難1。我想了一下，就用四兩撥千斤的辦法回答他的問題。我說，最重要的是，要弄清楚為什麼做這項展示？他聽了，覺得我在規避問題，就不再追問下去了。

　　其實我說這話是半真半假的。做好任何一件事情，首先都要弄清楚其目的。也就是從「為什麼」開始，這是老生常談，但是最普通的道理常常也就是最容易忘記的。在我的經驗中，辦「展示」是屬於最容易忽略「為什麼」這三個字的事，所以特別應該再三提醒。「展示」，顧名思義，就是要

將一些事實與觀念展覽，讓觀眾了解展示的目的。

新北市宗教博物館中的親子館。

戴爾·奇胡利（Dale Chihuly, 1941-）在倫敦丘園的玻璃藝術展（Reflections on nature, Kew Gardens）吸引了大量觀眾。

把一些事實與觀念，用公開展覽的方法，讓觀眾了解。可是在思考過程中，有幾個蔽障，是不容易避免的。

　　第一是個人表現之弊。展示是一種表現，因此構思展示的人如果有高超的表現力，很容易把自己的英雄氣概當主題表現出來，忘記了展示的目標。這種情形在以兒童為對象的展示中最容易發現。這是一種隔障，主要是因為設計者與使用者之間有很遠的心理差距，設計者幾乎沒有辦法了解使用者的心理，就索性發揮自己的想像力，把自己表達出來了。

　　第二是對象錯誤之弊。展示既然為公眾性的活動，參觀的人群是多方面的。這些人有不同的背景、不同的需要，

因而對展示有不同的反應。可是在參觀人群中，少數來自高層社會的人，包含評論家在內，其意見較有影響力，因此對博物館的展示所發表的意見，容易受到設計者的重視。而真正需要了解展示內容的多數人，通常是無聲音也無抗議的默默接受者，他們的需要常被忽略。為什麼一個宣導公共安全的展示要花很多錢在美觀上？因為市長可能是有藝術修養的人，博物館人員的第一件大事就是使市長高興、滿意。在歐美的美術館展示上，這類問題最少，是因為美術館的觀眾以高水準者為多。

第三是阿諛觀眾之弊。在現代商業性展示中，觀眾就是顧客，而顧客永遠是對的這種觀點已漸漸影響了認真的博物館展示設計者。觀眾喜歡少動腦筋、多些新奇刺激，可是作為博物館設計的決策者，分寸的拿捏就很困難了。要吸引大量觀眾呢？還是少量觀眾收到應有的效果呢？在這個時代裡，常常不容易抗拒吸引大量觀眾的誘惑，把展示的品質降低為遊樂場或商場的水準。

我們太容易忘掉展示的本意了，比如文物的展示，究竟是為學者而展呢？還是為收藏家而展？對於這些人，也許我們並不需要「展」。不少的展示設計是為設計界的同業而展，讓他們讚美與羨慕。有些所謂前瞻性、開創性的展示，正是如此。對於這些人，展示些什麼並不重要，怎麼表現創意最重要。而要來參觀的大眾幾乎是最後才被想到，文物展的目的究竟何在？博物館的負責人、展示的設計人認真地想過嗎？除弊之後不一定會設計出真正成功的展示，但卻是重要的第一步。

編註

1　針對展示，漢寶德著有《展示規劃：理論與實務》一書，
　台北市田園城市文化事業有限公司，2000 年 8 月出版。
　此書早已絕版，經重新選輯編排並增加大量配圖，以《繆
　思意境：漢寶德再談博物館》之新書面貌由典藏藝術於
　2022 年出版。

倫敦丘園中具開創性的瑪麗安娜·諾斯藝廊（Marianne North Gallery）。

31 自助助人的專業協會

專業協會有兩種形態，其目的與運作都不相同。在專制國家之專業協會，其設立有兩個理由。其一是以民間組織之名，對專業進行深入與緊密的控制，實際上是政府權力的外圍機構。其二是以民間組織之名，打進國際專業組織之中，代表民意，爭取權利，並從事政治活動。在運作上，人事的安排是自上而下的，雖然也經過一個選舉的程序，其作業大多是如何把政府的意思貫徹在專業中，共產國家的學會或協會握有相當具體的權力，就是這個原因，比如中共的「科協」是一個龐大的組織，其科技博物館系統就在「科協」的支配之下。他們的學會，理事長與理事受到相當的尊重。

在民主國家，民間專業社團的組織大多是為了以下三個理由，博物館協會的目標應該也不例外。

為促進博物館知識訊息及實務新知之流通及傳達，博物館學會發行的簡訊。（取材自中華民國博物館學會網站）

其一，向社會宣示，澄清此一專業的意義與價值，希望得到社會大眾的支持，從而達到專業的目的。其二，建立專業人員直接溝通的管道，互相交換經驗，幫忙解決問題，使專業知識更精進，專業服務更完善。其三，專業人員團結一致，為爭取自己的利益而努力，因為只有團結才能形成壓力。今天談博物館協會的宗旨與功能，也只能自這三個方向著眼。由於博物館在社會上是屬於弱勢團體，博物館協會的組織尤其應該大力的向這三個目標邁進。

　　在世界上大部分的國家，博物館的地位非常尷尬，它經常被視為文化的冠冕，但又很少受到應有的重視。社會大眾認為博物館是自然存在的，並不需要他們積極的幫助。與正規教育比較起來，它們受重視的程度，連五分之一都不到。大家對博物館都抱著一種有了很好，沒有也無所謂的態度，所以政府預算發生問題時，學校不會受到影響，博物館是開刀的對象。

　　博物館組織的第一要務就是如何告訴社會大眾，博物館是文教機構中不可或缺的一部分，它不是點綴品，是必需品，這樣的宣示不但在理念上要自我肯定，而且要有文化上的使命感，進而培養工作的熱忱。在這樣的基礎上，博物館組織要營造團隊意識，發揮團隊精神；要能自助而後助人。目前世界各地的博物館組織主要就是在這方面努力。博物館的大規模集會，如國際博物館協會的年會、美國博物館協會的年會，看上去都像是大拜拜，實際上就是一些小規模的討論會，供需要求助的同業參與討論，交換經驗，提供解決問題的建議，是很有價值的。雖然有些與會的人不免濫竽充數，整體說來，用意良好。

配合 518 國際博物館日所舉行活動之海報。

中華民國博物館學會舉辦交流活動。

　　有了中心的理念，又有了專業的準備，進一步就應該要
求應得的權利。這一點，各國博物館組織做得最少，實在因
為博物館人都是公益主義者，對於自己寧可委屈，很少為自
己的利益爭取些什麼。博物館的研究人員在貢獻上不低於學
校教師，在地位上卻相差甚多，並沒有多少抗議的聲音。但
是當我們準備擔當起重要任務的時候，得到社會相當的肯定
也是不可缺少的。

八巻

32 博物館學的研討會

—

　　國際研討會已經成為學術界最熱門的一種活動了。學者們藉著研討會的活動，可以與世界上最著名的同行交換意見，可以認識他們，以促進直接的學術與職業經驗的交流，其意義十分顯著。

　　在博物館界，這種國際性的學術討論會也是很流行的，可是其效果一般說來，似乎不及其他學術界為顯著。這是什麼道理？是因為研討會的效果與參與會議者的專業性與學術性有關。博物館這個行業尚沒有成熟，有多少真正的博物館學者實在很難說。如果在討論會中所談只是些粗淺的泛論，既無深度又無主題，開會就不免近大拜拜了。實在說，有很多學會開會就有大拜拜的性質。

博物館學的研討會。
（取材自高雄科學工藝博物館網站）

檢討博物館學術，能稱得上學術，出版學術性文章者，還是那些傳統的學門。比如自然科學的收藏、研究的各學域，比如美術史的相關各學域。這些學門並不一定與博物館有關，博物館人員與大學或研究機構一樣，以個人的身分參與研究，形成學術團體。其次是那些傳統與博物館業務相關的學門，比如文物的收藏與修補的技術，又如展品的環境，這些並不是眩人耳目的學問，但涉及專業，沒有認真的研究，達不到預期的效果，所以有必要交換意見與經驗。這些學域涉及的工作在博物館執行，但其研究則並非博物館的專家，而是來自不同的學域，對博物館特別有興趣者。這類的學者學有專精，開會言之有物，通常對與會者都有很大的幫助，開會當然非常必要。

　　很遺憾的是，博物館專業的核心，展示與教育，卻很少有成功的研討會。其故是因為直到今天，這最重要的部分最缺少學術的研究，甚至在大學中也很少相關的課程，這部分是貧血的，只能隨便說說，談不出個有系統的道理來。研討會談這些問題，則如天馬行空，漫無邊際，因不具體，聽者如聞耳邊風，產生不了具體的作用。我參加過的類似討論會，以個案的報告，外加討論比較有意思。未來如果國內組織博物館學的討論會，恐怕應該以個案的經驗交換為主。事實上，在現階段的博物館實務要辦討論會，也只有這一條路。每一博物館都有其不同的環境、不同背景、不同的內容，面對各問題未必完全一致。但是在展示與教育上卻有共同的目標，如果博物館工作者共聚一堂，把自己的個案報告出來，其困難之處，其解決之道，其成敗的評估，讓同行吸收成功的經驗，規避失敗的途徑，實在是很有用的。如果對同一個問題，有十幾個個案提出討論，大家一定收穫不淺。

大部分的討論會，尤其是國際討論會，都有大拜拜的性質。因為規模太大、語言不通、時間太短，都會產生虛浮不實的毛病。研討會確實是愈小愈好，愈親切愈好。自然科學博物館這次所辦的國際研討會，就是依這個原則進行的，可惜時間仍然太短，大家都不能暢所欲言，而有很多重要問題都不能充分討論的遺憾。

轉載自 1993 年 12 月國際學術研討會
「博物館內的研究：期望與現實」講辭

大學博物館專業舉辦的研討會。（取材自輔仁大學博物館研究所網站）

博物館舉辦研討會的海報。

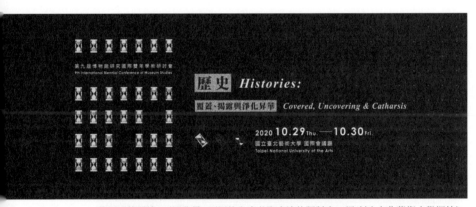

集不同的環境、不同背景、不同的內容共聚交流的研討會。（取材自台北藝術大學網站）

33 世界是一座大博物館

　　現代世界的重要特色之一是觀光旅遊之發達。古人說，行千里路，讀萬卷書，觀光早已是讀書人增見識、廣見聞的不二法門。今人就靠著廣泛的旅遊，打破了狹窄的人生界域，使精神生活無限延展：地球在我們的心目中真正成為一個村落了。

　　現代人觀光，在觀念上分為好幾個層次，逐步發展。最初的層次是觀奇景。出外觀光，瞻仰天下奇景，不論是名山大水，或少見的文明遺物，雖經耳聞，不若身歷其境，較有實感並對心靈有所激發。觀光的第二個層次是異域的風俗人

觀光的層次之一是瞻仰天下奇景或少見的文明遺物——世界文化遺產的法國阿爾克—塞南的皇家鹽場（Royal Saltworks at Arc-et-Senans）。

異域的風俗人情也是觀光的層次之一——慕尼黑啤酒節。

情。世上各地的民族依其特殊的地理與歷史背景,發展出不同的風俗,外地人看來就是奇景。在知識封閉,少有文化性接觸的時代,異域充滿了浪漫的想像,對富於好奇心的人來說,是值得探索的伊甸園。

自這兩個層次看來,人類的觀光行為在精神上實在與博物館的存在是相通的。所不同的是,博物館規模有限,展示有一定的範圍,只能滿足一部分人的好奇心而已。觀光旅遊是把全世界當作一個大博物館。甲地習以為常的景觀與風土人情,對乙地的人就是奇景;反之亦然。人類與人類之間的互通互信,就建立在這種滿足好奇心的行為上面。自好奇心的激發到文化的認知與體會,觀光的高層次的價值觀就產生了。

當這種觀念逐漸建立,文化觀光的意義就自然呈現了。到今天,廣義地說來,除了休閒為目的的觀光之外,一切的觀光都可視為文化觀光。文化觀光不一定是博物館之旅,如果觀光的觀念仍然停留在純粹觀看奇景的階段,則雖博物館之旅也不

能稱為文化觀光。文化觀光的觀念一旦建立，作為文化結晶的博物館即擔當了重要的角色。因為最高層次的觀光，亦即深度觀光，正是博物館之旅。

很多年前，我開始在西洋旅行的時候，完全放棄博物館。回國後，朋友問我看了些什麼博物館，我的答覆通常是沒時間。因為旅行時間通常很匆忙，在短短時間內，對於文化的吸收，單單限於生活環境的了解都感不足，主要的建築要參觀，重要的市街廣場要親身體驗，甚至都市生活，諸如公車或地下鐵的運作，咖啡館的氣氛，都應該是觀光的重點。所以我從來不參加旅行團之蜻蜓點水、面面俱到的觀光，而寧願辛苦的自助旅行。那一種探索式的觀光，我優先參觀的博物館是地方博物館。

最高層次的觀光，亦即深度觀光，正是博物館之旅——巴塞隆納加泰羅尼亞國家藝術博物館（Museu Nacional d'Art de Catalunya）。

市街廣場甚至都市生活是旅行要親身體驗（Piazza dell'Anfiteatro, Lucca）。

我常想，喜歡文化觀光的人，應該是喜歡從事研究工作的博物館人。人類學的發現，甚至達爾文等生物演化的發現，豈不都是基於同樣的探索的心理？只是自我要求的深度有所不同而已。

　　基於此，深度觀光以博物館為目標是理所當然的事。博物館有系統地呈現了地方的文化與自然史的特色；當地的美術館展出該地方藝術家的活動及成就。有些國際級的藝術大師在他的祖國會受到特別的重視，會更明確地展示其創作的文化背景。所以經常出國觀光的人會自然而然地把時間花在博物館裡。到今天，我每有出國的機會，參觀的重點已經完全以博物館為主了。

驗的──義大利盧卡圓形競技場廣　公車或地下鐵的運作應該是觀光的重點之一──倫敦地下鐵。

34 土著文化所需要的是尊重

　　原住民三個字是政治性的字眼。因此認真談博物館中的原住民文化，先要把立場弄清楚。原住民如果是英文aborigines 的翻譯，那就沒有問題，因為那是土著的意思，是指未經現代化的、土生土長的人。在這裡，原字是原始，不是原來。這樣的解釋，博物館的人類學部門就是一種科學，其目的在於自各地原始居民的物質文化了解人類現象。原住民的文化是一面鏡子，可以使心靈受到多重掩蔽的現代人看到自己的真相。

以台灣原住民文化為主題的台北順益博物館。

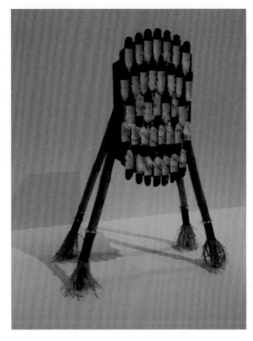
墨爾本博物館展覽的原住民文物。

　　如果把原住民視為原來的住民，就牽連到權力之爭、民族意識之衝突，博物館就自然成為清算的對象。可是這種衝突只能呈現在當地的博物館上。澳洲的土著在澳洲稱為原住民，台灣的土著在台灣稱為原住民，因為政治的意義在當地才顯現出來。在今天，族群意識高漲的時候，確實應該檢討博物館應不應該或應該如何展示當地原住民的文化。

　　數年前我曾訪問澳洲的博物館。記得在墨爾本國立博物館的收藏庫裡，那位研究員指著一些土著的標本說，這些最近就要還回去了，這是土著喪葬的象徵物，被視為神聖，不宜於陳列。當時我感到很訝異，如果博物館不能陳列，一般人如何了解土著文化呢？我立刻提出這個問題，那位資深的研究員笑笑說，這就是現實，有些事情是不應該了解的吧。

事後我知道，有些澳洲的白人正經歷一個文化自覺的過程，開始自我反省白澳政策所造成的後果。他們開始放棄高高在上的學術的立場，改以當地土著的立場來看文化。把研究改為尊重，一切問題以化解政治抗爭為原則。這是不是對的呢？

這個問題牽連到文化的論戰。原住民文化的保存是指原始的生活狀態不加改變？還是指博物館化？這是現代生活與原始文化間的價值衝突，是永遠解不開的心結。現代博物館的作業，當然是站在現代主義的立場，認為各地的土著，可以尊重他們，承認他們的固有價值，但卻一定要逐步跟上時代的潮流，過現代人的生活。自這個觀點看，古老的文明與原始的文化一樣，要受傳統與現代的矛盾的煎熬。中國古文化現代化的問題，論戰持續了一個世紀，至今尚未結束。這是沒有答案的。

其實今天的博物館已經不再是帝國主義的工具了，也不再是工業國家炫耀其征服力的冠冕。心平氣和而抱著嚴肅態度的人類學家在博物館從事研究工作，收集其可以收集到的，展示其研究結果，應該不再受政治的、意識型態的困擾。如果有足夠的幽默感，我們可以把自己文化的優缺點全面呈現，是不應該有什麼忌諱的。人類學的展示應該從帝國主義的陰影中走出來，丟掉被欺壓的感覺，以平常心來從事。

我認為對土著文化真正的侮辱是觀光。十九世紀歐洲博物館蒐集各地土著文物，是基於好奇心，並滿足西人獵奇的渴望。觀光的動機是完全相同的，並沒有真摯的尊重。各地原住民要維護文化的自尊，不應抗拒博物館，應抗拒的是觀光工業帶來的金錢！

以世界原住民文化為主的巴
黎凱布朗利博物館（Musée du
quai Branly Jacques Chirac）。

巴黎凱布朗利博物館一隅。

35 明日的挑戰

—

　　博物館已經有幾百年的歷史了，也經歷過幾次重大的改變。瞻望未來，博物館有沒有面臨新的挑戰呢？在二次大戰之後，博物館最大的改變就是增強了教育的功能。在此之前，教育是次要的，標本的收藏才是主要的。在此之後，標本是次要的，因此美國博物館協會承認沒有標本的展示館為博物館。這是一項重大突破，博物館自此踏上全新的途徑。

　　這個新方向是要服務社會大眾。博物館不可避免地成為大眾文化的一個環節。博物館開始講究行銷，開始與娛樂相

標本的收藏曾經是博物館的主要功能——德州達拉斯培羅特自然科學博物館（Perot Museum of Nature and Science）。

德州達拉斯培羅特自然科學
博物館。

德州達拉斯培羅特自然科學
博物館一隅。

結合。自 1970 年代開始，國際性觀光的潮流開始影響到博物館，一種知性的娛樂主義在博物館界萌芽成長。順應世界潮流，這是自然發展的趨勢，也是自求生存之道。

在這個階段裡，博物館的核心工作可以用兩個關鍵性的字眼來描述，其一為「闡釋」，其二為「趣味」。博物館要使展示大眾化，必須做到這兩點才能達到目的。趣味就是引起大眾的興趣，就是娛樂性，闡釋就是說明其中的意義，就是教育性。可是這兩個字眼，推展到某一程度都有其潛在的自我否定的因子存在。

以趣味而言，博物館面臨遊樂事業的競爭，這話可以反過來說，是博物館自動地向遊樂事業靠攏。遊樂事業增加了知性的成分之後，就是與博物館正面衝突了。自從迪士尼公司在佛羅里達州設立艾匹考特中心（Epcot Center）之後，這種隱憂就存在了。在未來，如果遊樂事業把科幻的成分降低，知性的成分增加，以芝加哥科工館為模式，新式的科學博物館與遊樂事業的界限就很模糊了。

至於「闡釋」，問題就更大了，闡釋是說明其中的道理，是教育的手段。通過簡明的解釋，觀眾可以了解展示品的來龍去脈，不但可以獲取知識，而且因而發生興趣。然而不可避免的，說明展品時會把說明者個人的意見當作真理傳達給觀眾。因為大眾不能分辨意見與事實之間的區別，很容易被誤導。

大眾主導的時代也是泛政治的時代，沒有一種觀念不牽連到政治。一個核子反應爐的展示，可能暗示核子是安全

　　　　　　　　　　　　　　繆思談片

的，也可以暗示核子是危險的。生態系統的展示，可能是堅定的環境保護主義者的立場，與主張積極經濟開發的政見完全相違。美術界常常認為受政治的欺壓，希望與政治畫清界限，但 1960 年代之後，藝術界大多有強烈的政治見解，藝術作品中展示了武斷的政治與社會意識，試圖引導觀眾的思考方向，博物館存在的價值會受到根本的質疑。

佛羅里達州艾匹考特中心。（©chensiyuan, Wikimedia Commons,）

在德國文件展中極具有強烈政治見解的藝術作品。

　　今天的博物館與陳列標本、讓標本自己說話的時代相去
甚遠了。這是一條不歸路。教育與娛樂是新式博物館的十字
架，是非背負不可的。眼見的未來，博物館要接受資訊科技
的衝擊，娛樂與知識的資訊化已經成為一個新潮流了。這個
發展方向，不但使標本的觀念消失，連現場展示的觀念可能
都要改變。博物館會成為電子遊樂場的另一種形態嗎？也許
有一天，博物館又恢復到收藏庫加研究室的純學術機構了。

九巻

36 營運要自觀念開始

—

　　營運是一個很時髦的字眼，這是企業界所通用的字眼，而今天商業掛帥，一切組織都要向工商業看齊，所以博物館談營運就是理所當然的了。

　　從一個角度看，博物館談營運是進步的表示。因為傳統的博物館是沒什麼營運觀念的。營運是必然的，因為再古老的博物館也要開門、關門，迎送觀眾，也要陳列出展品，也要出版刊物，也要注意支出與收入的平衡。但是關鍵在於「觀念」，有沒有觀念是大不相同的。

博物館商店是營運中重要的一環。

琳瑯繽紛的文創商品是博物館推廣營運的手法之一。

　　差別在哪裡？有觀念的營運，不只是營運的動作，而是要思考營運的目標與成效。這如同穿衣吃飯，乃人生之必需，不論你要不要注意自己的生活，總免不了要穿衣吃飯。但是如果你注意到生活起居的品質，有了追求衣食品質的觀念，就發現這些經常在做的事，是大有考究的。即使你用盡了心力，有時候也不一定能達到預期的目標。

　　觀念是什麼？就是有視野、有權衡、有意識。做任何事，不訴之自動反應，要有一定的想法，一定的原則，　定的目標，就是有觀念的做事方法。現代的經營管理的理論，一切自目標定位開始，就是這個道理。

　　在過去，博物館真的不需要營運觀念，因為博物館沒有明確的目標可言。國家或基金會給多少錢就花多少，觀眾愛

巴黎羅浮宮中的商店街。

來不來，沒有人會多問一句話。如今可不同了，博物館為了趕上時代，必須考慮觀眾反應，隱約間，有了一個模糊的目標，那就是盡量增加觀眾人數。有些積極的博物館經營者，要靠社會的資源來擴大博物館的影響力，甚至把希望吸納的觀眾人數加以量化了，因此營運成效就掛帥了。如何利用最有效的方法，最有效的管理，動員起組織的力量達到既定的目標，成為博物館的頭號大事。

這樣做，博物館就活潑起來，就自然而然地成為現實社會的一分子，反映社會的動態。這是博物館現代化的第一步。然而博物館營運應不應這樣義無反顧地投身於商業社會的大潮流中呢？答案是不應該。博物館營運的最大困難正是因為它不是一個單純的營利機構。把博物館的營運目標訂定在觀眾人數上，事實上是錯誤的。只有遊樂場所可以單純地

以遊客為目標，因為遊客人數代表受歡迎的程度，代表利源之所在。可是博物館是另有其使命的，觀眾人數確實是不可少的因素，而博物館在教育上的基本任務能否達成，是更重要的需要評量的因素。

換言之，博物館營運不只是要達到財務的目標，而有更具使命的目標。然而比起數人頭、點鈔票來，這些目標的擬定與達成就更困難了。從事博物館的營運，要有廣闊的文化視野，找到發展的方向，然後運用智慧來加以運作。其目的無非是使博物館產生預期的績效。所以博物館的組織是有效營運的利器，建立運作靈活，適應多變的社會需要的組織架構，永遠是成功的營運的第一步。也是由於這個原因，以標準的公務單位，刻板的公務運作方式，是無法經營一座第一流的博物館的。

巴黎奧塞美術館商店內的複製藝術品。

37 展示評量的科學

　　博物之學的範圍非常廣泛，在過去是以藏品的收集、管理與維護為主要內容，可是隨著博物館經營的重點轉移到展示、教育之後，情形要改變了。今天再談博物館學，其重心既在教育，因此博物館之研究焦點自然應該自「物」轉移到「人」，成為一門人文學科。這是博物館學再出發的新方向。

　　在過去，博物館之經營只要累積極多的藏品，而且把藏品管理好、維護好，不使它們因種種原因受到損壞或因而消失，就算很成功了。在今天，我們要問一座博物館能服務多

美術館中的服務中心——日本美秀博物館。

少觀眾，他們是不是很滿意於展示的內容與品質。尤其重要的，究竟他們有沒有自參觀中得到益處。

　　這樣的共識逐漸建立了。要怎麼達到這個目的呢？老實說，對於收藏物的管理與維護，雖然牽連到很複雜的科學技術，仍然有甚多的研究空間，但基本上是物質的，比較容易控制與支配。今天遇到問題，只要有錢、有人，並不難解決。可是對觀眾產生的效果，涉及於人的反應，問題就不是那麼簡單了。

　　人的行為，人對產品的反應，當然也有其客觀的規律，否則就不能成為一門科學了。但是其客觀性是有限的。人會因其教育的背景、社會的環境之不同，在行為上產生相當大的差異。不同的民族，有不同的價值觀，對於事物的反應常常南轅北轍。因此要掌握觀眾的行為，為他們服務，是一件很困難的事，有時候，有錢、有人並不能解決問題。

　　國外對這個問題已經留意了幾年了，開始有了學術組織加以研究探討，但成果尚不夠豐碩。近年來，我一直要求國立自然科學博物館科教組的研究人員，積極地從事這方面的研究工作，並出版學術性刊物，我了解他們正在準備中。國內需要這種研究，不但是因為國際上的研究尚在初步階段，沒有多少可以供我們參用的資料，而且因為各國的國情民性未盡相同，外國人的研究所得未必能符合我國的需要。

　　在今天，當我們評論一個展示的好壞的時候，通常是利用經驗的方法，最低的層次就是看觀眾人數。觀眾參觀踴躍表示令他們滿意，當然是一個可靠的指標。但是他們來參觀

的目的與展示規劃者的目標是否吻合？他們參觀過以後的感應是否與預期相同？必須做一點問卷調查。這樣的評量屬於第二個層次，已經有點科學意味了。其實這還是不夠的。

　　要把展示教育的研究成為一種精緻的科學，就要能掌握到展示品、展示方法、導覽技術等對觀眾的反應，因此可以調整展示，達到預期的目的。這不是那麼容易做到的，展示也許永遠不可能成為精確的科學，展示設計家與博物館專業人員必須有藝術家的敏感，與人文學者的胸懷。所以一個成功的博物館展示同時需要持久而縝密的研究，與生動、活潑的創造力的發揮。這兩者是缺一不可的。然而展示評量的研究必須取法乎上，提高它的精確度，使博物館之學更上層樓。

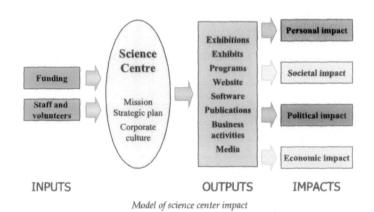

Model of science center impact

國外科學中心評量模式。

華府自然史博物館一隅。

加拿大渥太華自然史博物館一隅。

下篇——宗教建築

38 虛擬聖境 —— 世界十大宗教建築賞析

這一次的「虛擬聖境——世界宗教建築縮影」展，在選擇宗教建築上考慮了相當多的元素。首先，該宗教必須是尚存在，具有一定歷史及建築傳統者。其次，雖屬同一宗教，卻有文化歧異，對教義有不同詮釋，因此建築顯有不同者，如佛教可分南傳及東傳，基督宗教又可分為天主教、東正教及新教。其三，該宗教的建築有典型性及文化代表性者，如俄羅斯的聖母升天堂。最後，考慮到該宗教建築在地域分配上的平均性。根據這幾項原則，及實際執行上資料取得的難易度，決定了本次展示的宗教建築。世界宗教博物館希望能夠在有限的資源內，儘可能地介紹國人多元化的建築，這並不表示某一宗教較為重要，或孰優孰劣。[1]

基本教義的不同反映在具象的建築上，即造成不同的型式。這十大宗教中，神道教、印度教、南傳及東傳佛教屬多神信仰；基督宗教、伊斯蘭教、錫克教、及猶太教則屬一神信仰。神道教崇敬自然，相信萬物皆有靈。印度教及佛教崇敬神佛；天主教及東正教雖為一神信仰，但同時也崇敬聖母與聖者，因此，這四個宗教均帶有偶像崇拜的色彩。基督新教、伊斯蘭教、錫克教、及猶太教則不崇拜偶像，以經書為依歸。多神宗教隨之發展出崇神的「神殿」式建築；一神宗教發展出強調聚會功能的「會堂」式建築；天主教及東正教則另發展出兼具兩者功能的「殿堂」式建築。宗教教義與建築型式的關係可整理如表一。

多神	神道教		自然	神殿
	印度教		偶像	
	佛教	南傳		
		東傳		
一神	基督宗教	天主教		殿堂
		東正教		
		新教	經書	會堂
	伊斯蘭教			
	錫克教			
	猶太教			

表一：宗教教義與建築型式的關係

　　再進一步看，宗教建築表現出的意象、使用的材料、及設計的理念亦可整理如表二。日本神道教及中國的東傳佛教受到地域文化影響，均強調「自然」理念，在材料上也選擇木材；意象上均以家屋或大型的家屋——宮室——為主。印度教及南傳佛教則表現出「幾何」式理念，以石材建構出高聳的山形。東正教及伊斯蘭教均以多彩的幾何圖案表現如天堂的圓頂穹窿。天主教、基督新教、錫克教及猶太教的建築

世界十大宗教建築展覽廳。

均強調功能性，但基督新教及猶太教由於傳播的幅員廣大，因此其建築隨地域的不同而沒有特定的建材或意象，在此以括號表示。

	宗教別		意象	材料	理念
多神	神道教		家屋	木	自然
	印度教		山	石	幾何
	佛教	南傳	山	石	幾何
		東傳	宮室	木	自然
一神	基督宗教	天主教	山	石	功能
		東正教	穹窿	彩	幾何
		新教	（山）		功能
	伊斯蘭教		穹窿	彩	幾何
	錫克教		宮室	彩	功能
	猶太教		宮室		功能

表二：宗教建築的意象、材料、及理念

建築的空間設計是影響其感染力最重要的因素。橫向建築拉近了人與神的距離，因此帶有家屋感，建築感染力較弱。縱向建築或中心建築有垂直軸線，拉長距離感，因此感染力較高。各建築的空間設計與感染力如表三所示。

	宗教別		水平軸	垂直軸	感染力
多神	神道教		橫向	無	
	印度教		縱向	有	強
	佛教	南傳	中心	有	強
		東傳	橫向	無	
一神	基督宗教	天主教	縱向	有	強
		東正教	中心	有	強
		新教	縱向	（有）	
	伊斯蘭教		中心	有	強
	錫克教		橫向	無	
	猶太教		中心	無	

表三：宗教建築的空間設計及其感染力

進入伊勢神宮的宇治橋。

伊勢神宮內的神樂殿。

伊勢神宮內的神社之一，此神社屋頂的鰹木為偶數，當屬女神社。

伊勢神宮。

　　伊勢神宮 2 非常重視「自然」的理念。自西元前四世紀起，由於日人嚴守每二十年即以同樣的建材及形式重建一次的「遷宮」傳統，仍保有日本未受其他文化影響前的建築原型，可說為無形的文化財。例如屋頂設計厚重，使整體比例頭重腳輕，此類建築特徵在受中國影響後即已消失。或離地的干欄式設計，可普遍見於東南亞地區的原始建築，是當地人為適應潮濕的氣候所發展出來。屋頂為宗教意念表現所在，交叉的千木與水平的鰹木代表神聖潔淨，是唯有神宮方能採用的形式。內部淨空，供奉八尺鏡，為天照大神的象徵。

伊勢神宮。　　　　　　　　　　　　　　　伊勢神宮。

微曲的屋頂曲線及簡單比例使神宮顯得高雅，不另外上彩而外露的原木紋路表現出崇尚自然的宗教精神。外圍以灰白石子鋪地，更烘托出神社的神聖。

　　坎德里雅濕婆神廟 3 屬印度教，帶有原始宗教的風格。神殿外形為高聳的山形，仿男性生殖器形狀，壁上遍布男女歡愛的浮雕，人體扭動成各種不同姿態，這樣的動感影響了佛像雕刻，我們可以看到許多佛像亦以略微扭動的曲線呈現。濕婆神廟為縱向建築，內部表現出山洞意象，參拜者穿

坎德里雅濕婆神廟的情慾雕像。　　　　坎德里雅濕婆神廟的大象雕像。（取材自
（©Jean-Pierre Dalbéra, Wikimedia　　depositphotos 網站）
Commons）

坎德里雅濕婆神廟。

攝於 1882 年的坎德里雅濕婆神廟。（©Lala Deen Dayal，取材自 http://www.columbia.edu/ 網站）

越前區的過廊後，來到中央的大廳，最後才至供奉濕婆神象徵「靈加」的神殿處，空間幽暗狹長，增加觀者的神祕感。

　　婆羅浮圖 4 屬南傳佛教，建築本身即為一佛塔，無內部空間。整體體積龐大，呈山形，由大量的佛像及舍利塔構成，

婆羅浮屠。

婆羅浮屠俯視。

婆羅浮屠。(©Gunawan Kartapranata, Wikimedia Commons)

婆羅浮屠鳥瞰。(取材自 Wikimedia Commons)

四壁環繞佛教故事浮雕。十九世紀被殖民政府發現後，即如大部分的古遺跡一般，慘遭人為的偷盜破壞，1970年代在聯合國世界文教組織的努力下，始搶救下殘存的佛像及浮雕。在本館所看到的模型，為視覺效果，已略增加殘存的佛像數。

佛光寺[5]為現存中國第三古老的佛教建築，最古老的佛教建築同樣在五台山，但其規模小而單純，故這次未選為東

佛光寺大殿。

敦煌莫高窟的佛光寺畫作局部。（取材自 Wikimedia Commons）

發現佛光寺大殿的梁思成與林徽因夫婦。

傳佛教代表。佛光寺珍貴之處在於其保存了完整的唐代斗拱系統，為中國早期建築構造的最佳證明，內部保存了三十多尊的唐代佛像，及約三百尊的明代羅漢塑像，均為不可多得的佳作，泥塑雕像質地細軟，能保存至今實屬難得。目前為保存佛像，一般人不能進入。佛光寺大門為七開間，立於高坡上，朱牆白垣，深灰色屋頂及咖啡色斗拱，為源自中國宮室形制的特徵，色彩單純大方，結構比例優美。

　　哥德式建築雖影響遍及各地，但公認仍以法國為正宗，夏特大教堂6則為法國哥德式建築的代表作。正前方為兩座高聳的尖塔，象徵接近天主，為基督宗教建築的特色。細心的觀者可以發現這兩座尖塔並不對稱，門窗大小、樓層高度、尖頂設計均不相同。中世紀建築由於技術及工具上的限

法國夏特大教室（Chartres Cathedral）。

夏特大教堂西側的正立面。

夏特大教堂正面上方的石刻。　　　　　　　夏特大教堂的飛扶壁。

制，並不要求完全對稱，且第二座塔乃毀損後於十六世紀重
建，而造成夏特大教堂一致中帶有變化的效果。兩側為一道
道鏤空的飛扶壁，支撐住主建築的石材重量，精準的計算使
夏特屹立數百年，令人嘆服。

夏特大教堂，室內中殿高壇處的十八世紀雕像。

札格爾斯克(Zagorsk)的聖母升天教堂。

札格爾斯克聖三一修道院。（©Trinity Lavra, Wikimedia Commons）

札格爾斯克聖三一修道院。（©Sergey Ashmarin, Wikimedia Commons）

札格爾斯克聖母升天教堂。（取材自聖三一修道院網站）

　　提及聖母升天堂的建築，必須先回頭看東正教起源處伊斯坦堡的建築 7。早期的基督宗教建築以圓頂為主，取其接近神的意念，之後這樣的圓頂結構也被伊斯蘭教所採用。然而大型圓頂建築有其先天上的工程結構困難，伊斯坦堡的工程師想出的辦法是在中央的大圓頂旁依次建多個小圓頂互相

　　　　　　　　　　　　　　　　　　　　　　　　　　　繆思談片

支撐，而形成了多圓頂式建築。當這樣的建築隨東正教傳至俄羅斯時，即逐漸失去原來工程上的意義，俄羅斯人結合了高塔及圓頂，發展出蔥型頂的型式，塔身較小且內部有柱支撐，其實已沒有建造多頂的需要，多頂結構的裝飾意義大於工程意義，從建築學方面來看已流於下乘，但這樣的外型自有其風味。內部則遍布東正教特有的彩繪聖像畫，是一充滿神聖感的空間。

　　路思義教堂 8 以雙曲拋物面構成，形狀如山，或說如拱手。雖說為簡單的四片板塊，但自下而上每一曲面的角度都不同，至上方已成為兩個平行的垂直面，此一設計使路思義教堂不論在實體建構或模型製作時均為高難度的作品。面與面間不接觸，而以鋼架及玻璃構成的窗戶相連，構成獨特的

由四片雙曲拋物面體構成的路思義教堂。

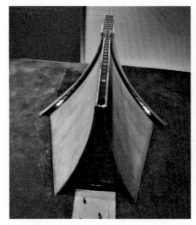

路思義教堂。　　　　　　　　　　　　路思義教堂內部小方格結構設計。

「一線天」式樣。每天早晨陽光即從天窗沿著教堂中心線灑
入，而於十點時射在講台的十字架上，配合教會禮拜的時
間，使空間充滿宗教的感動。內部為一個個小方格的設計，
使外部為凹面構成的教堂，自內部看顯得寬敞。

耶路撒冷聖石廟。

聖石廟是耶路撒冷天際線中的金磚。　耶路撒冷聖石廟。（©Emilio Garcia, Wikimedia Commons）

　　聖石廟[9]以多層向心的圓圈及八角形構成，屬於精神感染力強的建築。圓頂以輕材質構成，貼滿金箔，與下方的牆壁高度成 1:1 的比例，下方牆面長寬符合黃金比例，使結構顯得簡單大方，充滿古典美。內部為拜占庭風格，以馬賽克構成的幾何圖形及經書文字裝飾。

錫克教的金廟。　金箔裝飾的金廟。（©Oleg Yunakov, Wikimedia Commons）

金廟鳥瞰。（取材自 the historyhub.com 網站）

　　錫克教教義綜合了伊斯蘭教及印度教，為一人本主義的宗教。金廟10為錫克教最重要的建築，宮殿式的設計，上貼金箔，長寬符合黃金比例，充滿古典美。

　　舊新會堂11為猶太教最古老的會堂。採北歐式的尖頂，建築簡單樸素，階梯形的山牆為唯一裝飾。大門不開於正中

捷克布拉格猶太區的舊新會堂。

央，顯見會堂原為廳堂的功能。經典「約櫃」置於前方中央，人群則圍繞經典而坐。早期男女不平等，男性坐於屋內，女性則坐於外圍，因此舊新會堂即成為有圍牆的建築。

布拉格舊新會堂是歐洲現有最古老的猶太教會堂。
（©Øyvind Holmstad, Wikimedia Commons）

畫作中的布拉格舊新會堂。（取材自 Prague Stay 網站）

編註

1 漢寶德於 2002 年 3 月擔任新北市宗教博物館館長，為讓社會大眾從宗教信仰體驗生命教育，特規畫世界宗教建築縮影展示，於 2003 年 7 月推出十個宗教的代表性建築模型，其中婆羅浮屠、夏特大教堂與聖石廟以 1/50 比例製作，其餘七座的比例為 1/30，並且可以透過內視裝置觀賞內部。所有精緻的模型皆由林健成（1939-2018）製作。

2 伊勢神宮，位在日本三重縣伊勢市，分為內外兩宮，內宮祭祀天照坐皇大御神，外宮祭祀豐壽大御神。原係皇室的專屬神社，唯因天皇權力旁落，伊勢神宮的諸神反被尊為神道至尊，受武士敬拜。迨至明治年代被定為神道第一等神社。自 690 年起，內宮開始執行式年遷宮儀典，外宮的式年遷宮則始自 692 年，在日本戰國時代（1467-1590）一度中斷，截至 2013 年計舉行過六十二次遷宮。所謂式年遷宮係指每二十年神宮建築按原樣重建，對於傳承日本傳統建築的工藝有極重大之意義。

3 坎德里雅濕婆神廟位在印度中部的久克拉霍，建於西元 999 年，當時是昌德拉王朝（Chandela Dynasty），該王朝存在於九至十三世紀之間。1986 年被指定為世界文化遺產。神廟高三十一公尺，主塔象徵濕婆在喜馬拉雅山的家，主塔周遭有八十四個小尖頂。整體建築以砂岩建造，表面有諸多石雕，著名的色情浮雕只佔所有石雕的 10% 左右。

4 波羅浮屠位在印度尼西亞中爪哇日惹市西北郊，是大乘佛教遺跡，建於西元 780-840 年之間，於 1814 年被英國人發現。名字來自梵文，意思是「山頂的佛寺」。基座是正方形，長約 123 米，共計有九層，下面的六層為正

　　　　　　　　　　　　　　　　　　　繆思談片

方形，上面的三層為圓形，頂層中央是圓形佛塔。佛塔有三個階級，分別代表：欲界、色界與無色界，整體有2670塊浮雕，浮雕敘述了《普曜經》、《華嚴經》等佛教的因果報應故事。另有432尊佛像盤坐在蓮花座之上，佛像的手印按著方位而有所差異。此遺跡被發現後，曾歷經多次修復，1975-1982年賴聯合國教科文組織資助大肆整修復原，於1991年被列入世界文化遺產。漢先生曾於2010年10月親自走訪，撰〈群塔之美〉一文，刊載於2010年11月15日《聯合報》副刊。

5　佛光寺的發現有一段精彩的歷史，中國建築研究學者梁思成（1901-1972）與妻子林徽因（1904-1955），助理莫宗江（1916-1999）與紀玉堂於1937年6月26抵達在山西省忻州市五台山中的佛光寺，於7月5日林徽因發現大殿的天花板內梁下有字，寫有「女弟子寧公遇」，在殿前的石經幢鐫有唐大中十一年（西元857年）建立之年代，確定佛光寺為唐代建築，是中國現存第三古老的木構造建築，是中國近代最早發現的唐代建築。排名在佛光寺之前的古老木構造建築是山西五台南禪寺大殿，建於唐建中三年（782年）與山西芮城廣仁王廟，建於唐大和五年（831年）。敦煌莫高窟第61窟有五代時期的佛光寺畫。佛光寺大殿內存有彩塑佛像、壁畫等。2009年被指定為世界文化遺產。

6　法國夏特大教堂（Chartre Cathedral）傳聞聖母瑪利亞曾顯靈，大教堂保存了瑪麗亞的聖衣，自十二世紀以來是西歐天主教朝聖之地。大教堂位在巴黎西南的夏特市，1562年至1598年的法國宗教戰爭期間，天主教與新教鬥爭引發戰事，國王亨利三世戰敗後曾避難於此。此教堂自興建以來保存良好，北塔於1506年7月26日遭雷擊毀壞，經建築師尚·特西耶（Jean Texier,1474-1529）重建，北塔高115米，南塔高105米。此大教堂的彩色玻璃、

雕刻與彩繪等被視為中世紀藝術之傑作，其建築對日後的歌德教堂產生重大影響，被尊為哥德式教堂之典範。1979 年登錄為世界文化遺產。

7　基督教建築的圓頂當屬佛羅倫斯萬花教堂與梵蒂岡聖保羅大教堂堪作為典範。西元 330 年羅馬君士坦丁大帝移都君士坦丁堡，以羅馬建築風格為基礎之下，將大圓頂改為多個小圓頂，此項變革之一，形成了拜占庭式建築（Byzantine Architecture）。同時因為宗教信仰的分裂，羅馬與君士坦丁兩大勢力互爭正統，乃藉建築風格上的不同反映彼此的歧異。

佛羅倫斯天際線──萬花教堂的圓頂是基督教建築的典範。

8　路思義教堂（Luce Chapel），初始設計為磚構造，因為台灣有地震，乃改為木構造，但面臨白蟻蟲患，最終以鋼筋混凝土興建。此教堂係紀念十九世紀在中國的美國傳教士亨利·魯斯（Henry W.Luce, 1868-1941），捐贈者是其子亨利·魯斯（Henry Robinson Luce, 1898-1967），其為美國雜誌鉅子，旗下有《生活》、《時代》、《財星》等深具影響力的刊物。

9　聖石廟位在耶路撒冷的哭牆旁，其金頂是二十世紀 1950 年代末修復時取代原本的馬賽克屋頂。原址是第二猶太聖殿，西元 70 年聖殿被羅馬人毀壞，西元 688-692 年伊斯蘭教徒興建，將其視為穆罕默德升天之處。1967 年六日戰爭，以色列佔領耶路撒冷之後，仍歸穆斯林教徒使用管理，非穆斯林信徒禁止靠近及進入。

10　金廟位在印度旁遮普省阿姆利澤市（Amritsar），建築外表的金箔是十九世紀敷鋪。為彰顯錫克教的多元性，興建時曾請伊斯蘭教聖者奠石，四個入口象徵廣納四方民眾，強調平等寬容的宗教理念，以凸顯有別於印度教的種姓制度。

11　舊新會堂位在捷克首都布拉格猶太區（Josefov），建於 1270 年，是歐洲最古老的猶太會堂，是現存最古老的雙廳中世紀猶太會堂，是布拉格第一座歌德式建築。初名新會堂，十六世紀另建會堂，因此被冠上舊字，被稱為舊新會堂（Old-New Synagogue）。

39 世界宗教博物館十大宗教建築導覽解說

—

聖石廟 Dome of the Rock

宗教：伊斯蘭教

建造時期：西元七世紀

建造地：以色列 / 耶路撒冷

比例：1:50

尺寸（cm）：高 78× 寬 108× 深 108

典藏時間：2003 年

　　聖石廟，位於耶路撒冷的舊城內，亦有「薩赫萊清真寺」或「金頂清真寺」之稱。寺內的白色岩丘，相傳是亞伯

聖石廟。（世界宗教博物館提供）

聖石廟室內一隅。（世界宗教博物館提供）

聖石廟室內一隅。（世界宗教博物館提供）

聖石廟室內一隅。（世界宗教博物館提供）

拉罕獻祭之處，也是穆罕默德夜行登霄所踏的岩石，因此數
百年來這座清真寺同時被基督宗教、猶太教與伊斯蘭教奉為
聖地。

　　建築體的外觀呈八角形，大理石砌建的牆壁上，由彩色
馬賽克磁磚與玻璃鑲嵌而成，上方以彩繪雕刻的《古蘭經》
文字作為裝飾，內部圓柱與拱形門羅列，環繞著中央的白色
聖石。

路思義教堂 Luce Chapel

宗教：基督教
建造時期：西元二十世紀
建造地：台灣／台中市
比例：1:30
尺寸（cm）：高 60× 寬 ×77× 長 121
典藏時間：2003 年

　　路思義教堂是為紀念路思義牧師所建造，是東海大學
早期建校期間的重要建築，於民國五十二年完成。教堂位於
校園中心，靜謐莊嚴，因建築結構與規劃的創新巧思，不但
成為學校的信仰中心，亦是聞名中外的建築傑作。教堂的外
牆由四片分離的雙曲面組成，屋面、牆體與梁柱合而為一，
展現出建築結構的輕巧流暢。內部空間簡樸，分為講壇與席

路思義教堂。（世界宗教博物館提供）

路思義教堂。（世界宗教博物館提供）

路思義教堂室內一隅。（世界宗教博物館提供）

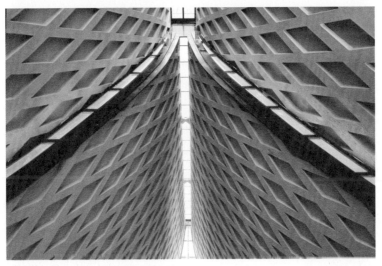

路思義教堂室內一隅。（世界宗教博物館提供）

座，講壇上方的金黃色十字架，與從天窗透入的自然光線，
相互輝映，搭配向上延伸的格子梁與玻璃格窗，神聖之感，
不言而喻。

金廟 Harimandir Sahib（Golden Temple）

宗教：錫克教
建造時期：西元十六至十七世紀
建造地：印度 / 阿姆利則
比例：1:30
尺寸（cm）：高 53× 寬 ×65× 長 103
典藏時間：2003 年

　　金廟是錫克教最重要的政治及宗教中心，由第五代阿爾
將祖師開始建造，於西元 1601 年完成。西元 1904 年起，信
眾將聖典《古魯 ‧ 格蘭特 ‧ 沙伊博》安奉在廟內，十九世
紀初，藍吉特 ‧ 辛格大王以大理石與黃金修建，圓頂與牆
面綴滿黃金，因而得名。印度北方的旁遮普語稱金廟為「神
的住所」。廟內有主殿、誦經室、休息室等空間，拱門與牆

金廟。（世界宗教博物館提供）

面上飾有傳統雕刻花紋及宗教的讚美詩句。金廟座落於有
「不朽之湖」之稱的阿姆利則湖中，以「堤道」相連大理石
建造的環湖步道。廟中整日吟誦讚詩，不絕於耳。

金廟室內一隅。（世界宗
教博物館提供）

金廟室內一隅。（世界宗
教博物館提供）

金廟室內一隅。（世界宗
教博物館提供）

伊勢神宮 Ise Jingu（Ise Grand Shrine）

宗教：神道教
建造時期：西元二世紀
建造地：日本/三重縣
比例：1:30
尺寸（cm）：高 36× 寬 110× 長 166
典藏時間：2003 年

　　伊勢神宮位於伊勢灣西南的廣大森林之中，由百餘座
神社所組成，並以供奉天照大神的皇大神宮（內宮）為首，
其神社數量之多與神祇之龐雜，象徵「神道」兩千多年來漫
長歷史累積的成果。神宮的建築原形，由收藏神寶或儲藏神
田米穀的倉庫發展而來。以樸實的原木築成，地板多架空，
四周以玉垣（木柵欄）作為分隔。屋頂呈山形，其上舖葺草

伊勢神宮。（世界宗教博物館提供）

伊勢神宮左前方的神社。（世界宗教博物館提供）

伊勢神宮左前方的神社之一。（世界宗教博物館提供）

伊勢神宮前。（世界宗教博物館提供）

（茅草），搭配屋頂上耀眼的金黃色裝飾，神聖潔淨。雖是
日本最古老的神社之一，但因二十年一次的遷宮傳統，使其
原木建築能不受歲月催化而保有嶄新的風貌。

濕婆神廟 Kandariya Mahadev Temple

宗教：印度教

建造時期：西元十至十一世紀

建造地：印度 / 卡傑拉霍

比例：1:30

尺寸（cm）：高 116× 寬 79× 長 133

典藏時間：2003 年

　　卡傑拉霍的廟宇是印度中北部昌德拉王朝時期的重要建設，全盛時期曾有廟宇八十五座，現僅存二十餘座神廟，分為東、南、西三個廟群，皆獨具風格。其中西廟群的坎德里雅濕婆神廟，即為當時的代表建築。濕婆神廟是一座建造於基座平台上的層疊式殿堂，從陡峭的台階進入門廊、大廳，再進入聖壇，四周則有簷板陽台的側殿。外牆上刻滿了栩栩

濕婆神廟。（世界宗教博物館提供）

繆思談片

濕婆神廟正立面。（世界宗教博物館提供） 濕婆神廟室內。（世界宗教博物館提供）

如生的神獸、飛天與細膩生動的愛侶交媾的情慾雕像。基座
牆面的線條與花草紋樣極為繁複，穿插著蓮花形、半圓形及
壺形的裝飾雕刻。

濕婆神廟雕刻細部。（世界宗教博物館提供）

夏特大教堂 Chartres Cathedral

宗教：天主教

建造時期：西元十二至十三世紀

建造地：法國／夏特

比例：1:50

尺寸（cm）：高 230×寬 130×長 262

典藏時間：2003 年

　　夏特大教堂為法國哥德式建築的典範。大教堂的內部由石柱與拱頂組成，外部則設計「飛扶壁」作為支撐，以減少笨重的石牆與支柱，使大教堂顯得優雅輕巧，而整體建築的空曠高遠，更傳遞出直達天國的莊嚴氣勢。教堂的平面為傳

夏特大教堂。（世界宗教博物館提供）

　　　　　　　　　　　　　　　　　　　　　　　　繆思談片

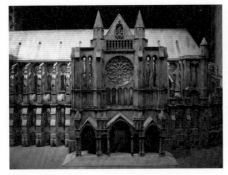
夏特大教堂南立面。（世界宗教博物館提供）

夏特大教堂西北立面。（世界宗教博物館提供）

統的拉丁十字形，中堂地板上有祈禱用的迷宮圖案。大教堂
以聖經故事為題材的浮雕與大小雕像遍布教堂各處，其數量
之多及藝術之美，令人讚嘆；瑰麗奇巧的彩色玻璃，光影游
移，以圖畫傳述宗教故事，呈現出特有的神祕美感。

夏特大教堂室內。（世界宗教博物館提供）

佛光寺大殿 Buddha's Light Temple

宗教：中國佛教
建造時期：西元九世紀
建造地：中國大陸／山西
比例：1:30
尺寸（cm）：高 60× 寬 83× 長 125
典藏時間：2003 年

　　佛光寺位於山西省五台縣，依山勢坡地而建，分為三層院落，現存有殿、堂、樓、閣等一百二十餘間。正殿又稱為東大殿，外觀雄偉壯麗，位於全寺地勢最高的院落當中，斗拱雄大，梁架錯落深遠，是現存唐代木架構佛寺建築中最典型的代表建築。東大殿內部牆面繪有生動的羅漢與佛經壁畫，兩側與後部，羅列二百餘座明代的羅漢塑像；佛壇上供

佛光寺大殿。（世界宗教博物館提供）

繆思讀片

有高大的唐代彩塑佛像，包括釋迦牟尼、彌勒佛、阿彌陀佛、
普賢菩薩、文殊菩薩、金剛等尊像，具有高度的歷史和藝術
價值。

佛光寺大殿。（世界宗教
博物館提供）

佛光寺大殿室內佛像。（世
界宗教博物館提供）

佛光寺大殿室內五百羅漢
像。（世界宗教博物館提
供）

婆羅浮屠 Borobudur

宗教：佛教
建造時期：西元九世紀
建造地：印尼／爪哇
比例：1:50
尺寸（cm）：高 80×寬 240×長 240
典藏時間：2003 年

　　婆羅浮屠，意為「山丘上的佛塔」。其獨特之處在於繁複壯麗的結構與大自然融為一體，造型深具宗教意涵。此一聖地原本深埋於火山泥中，直至西元十九世紀，因為地面的佛像微露，才挖掘出地下的宏偉建築。這座石造建築，自下而上，漸次升高，象徵修行成佛的境界。整體形狀外方內圓，自上方鳥瞰猶如一立體的曼陀羅。婆羅浮屠的雕刻以佛像雕塑與浮雕為主：佛像放置在各層平台的佛龕與頂部的舍利塔中，數量眾多的壁面浮雕，除裝飾性的雕刻外，多以佛陀生平與佛經故事作為敘事題材。

婆羅浮屠。（世界宗教博物館提供）

婆羅浮屠覆缽群塔局部。（世界宗教博物館提供

婆羅浮屠立面。（世界宗教博物館提供）

婆羅浮屠立面細部。（世界宗教博物館提供）

聖母升天教堂 Assumption Cathedral

宗教：東正教
建造時期：西元十六世紀
建造地：俄羅斯／札格爾斯克
比例：1:30
尺寸：高 150× 寬 147× 長 174
典藏時間：2003 年

　　聖三一修道院，由俄羅斯聖者塞爾吉斯創立，經多次戰爭，遂由教堂群與軍事堡壘共同組成，成為守護俄羅斯最重要的宗教及歷史建築，並收藏著許多古籍史料與藝術品。聖母升天教堂即是其中規模最大的主要建築。聖母升天教堂是

聖母升天教堂。（世界宗教博物館提供）

沙皇伊凡四世下令建造，仿自克里姆林宮五圓頂教堂。牆壁以純白石灰石砌成，屋頂則是揉雜拜占庭風格的藍底金星蔥頂，形成特殊的俄羅斯教堂建築，內部以聖像畫家的華麗作品作為裝飾，成為俄羅斯教堂建築代表作。

聖母升天教堂立面細部。（世界宗教博物館提供）

聖母升天教堂室內一隅。（世界宗教博物館提供）

聖母升天教堂室內一隅。（世界宗教博物館提供）

舊新會堂 Altneuschul

宗教：猶太教
建造時期：西元十三世紀
建造地：捷克／布拉格
比例：1:30
尺寸（cm）：高 72×寬 62×長 75
典藏時間：2003 年

　　舊新會堂，是歐洲現存最古老的猶太教會堂，大廳是
從中古時期留存至今的歷史建築，深具宗教意義。猶太人在
耶路撒冷聖殿被毀後，將許多傳統聖殿儀式留存在會堂禮拜
中，成為猶太教徒宗教生活的重心。會堂為灰色石造雙層式

舊新會堂。（世界宗教博物館提供）

舊新會堂室內。（世界宗教博物館提供）　舊新會堂。（世界宗教博物館提供）

舊新會堂入口大門。（世界宗教博物館提供）

建築，花窗、二角牆、十字型拱頂及吊燈等，顯現中古時期
建築的藝術風格。內部陳設簡單，以放置猶太教律法書的
「約櫃」為中心，象徵聖殿的聖所；約櫃的前方是誦經壇，
上方高掛一面大衛之星旗幟。聖所四周圍繞著會議室、辦公
室、教室及浸禮堂等小房間。（本文的建築解說與圖片皆由
世界宗教博物館提供）

40 探訪宗教空間

—

　　在過去卅幾年間，我曾數次出國旅行，為的是體驗世上重要文明的建築空間，一方面欣賞他們的建築，另一方面則透過建築，接觸到他們文明的精髓。而最重要的，則是探訪不同文明的宗教空間。因為只有在宗教建築中才能感受到一個文明的靈性。

　　開始從事海外旅遊，是從城市與小鎮開始，想自城市空間中了解他們的生活方式。進一步的深度旅遊，便專以宗教空間為探訪之目標了。1974 年我趁到美國教書之便，第二次去歐洲旅遊，也是第二次去巴黎。巴黎的主要公共空間與重要的歷史性建築之前都已體驗過了，為了有效利用時間，決定進行一次純宗教空間的探訪之旅。

　　法國是西方文明中世紀基督教建築的故鄉，巴黎正是哥德式教堂發展的核心。在十三世紀，法國國王的直屬地區，以首都巴黎為中心，一個多世紀間，發展出人類文明中最重要的建築資產。這個地區中的幾個城鎮，相互競爭，建造華麗的哥德教堂。他們不但創造了空前絕後的宗教空間，而且為西方基督教的建築創造了基本的語彙，並經由西方文明的擴張，帶到世界的每一個角落。我抱著朝聖的心情，在巴黎的左岸找一家小旅館住下來，先去巴黎聖母院回味一番。這兒數年前造訪巴黎時已瞻仰過了，因此我計畫住在巴黎，利用便捷的鐵道交通，每天訪問　座附近市鎮上的人教堂。這

　　　　　　　　　　　　　　　　　　　　　　繆思談片

巴黎聖母院。

夏特大教堂西側正立面。

樣幾天之內就可以遍訪幾座重要的教堂建築，深刻體驗到哥
德文明的精神。我第一個探訪對象就是夏特大教堂，因為它
被藝術史家認為是中世紀文明最完美的代表作，而且保留了
那個時代最精彩的雕刻與玻璃彩畫。

　　我搭第一班火車到達夏特。晨曦的陽光照著大教堂兩
座不對稱的尖塔，像火焰般閃耀在小鎮上空，而匍匐其下的
小鎮仍在沉睡。遠遠看去，夏特大教堂逐漸捕捉了昇起的陽
光，厚重的飛扶壁像初燃的燈籠一樣，祝賀一天的到來。我
那旅人的心情也隨之羽化了。在巴黎地區的哥德大教堂中，
只有夏特的正面有尖塔式的塔樓。十六世紀重建的北塔，造
型優雅，與敦厚的十二世紀的南塔並立，成為後世基督教堂
兩類尖塔的典型。記得第一次到巴黎時，看到聖母院正面沒

有尖塔，難掩失望，後來才知道正宗的哥德教堂正面都沒有
尖塔。這是夏特之所以特別令人感動的原因吧！

　　這兩座相隔三、四百年的尖塔如此不經意地並立，在
宗教建築中是空前絕後的。如果北塔沒有傾塌、重建，建築
史上就少了這樣絕妙的搭配了。我坐在廣場的對面，癡癡地
看著面西一高一矮的塔尖襯托在蔚藍的背景中，直到旭日高
昇，才起身走進被陽光穿透的大殿裡。哥德大教堂的空間給
人仰之彌高的感覺。中世紀的工程師已展現了西方文明的理
性精神，以知識的力量造成感動。深遠的大殿用空間的距離
強化宗教的感情。但是最動人的是陽光自東方的高窗，透過
彩色玻璃，利刃般穿過陰暗的空間，所呈現的光之戲劇。我
站在空無一人的大殿裡，為空間的戲劇張力所感動，似乎有
著無聲的巴哈漫天鋪地包圍著我，使我陶醉。在我的空間經
驗中，這是最令人難忘的一刻。後來我雖造訪更多的哥德教
堂，但或因時間不合，或因遊客太多，再也沒有經驗過同樣
的感受。

夏特大教堂鳥瞰（翻拍自明信片）。

夏特大教堂的北塔。

夏特大教堂並立的兩座尖塔。

夏特大教堂
的彩色玻璃。

夏特大教堂
的飛扶壁。

繆思談片

夏特大教堂飛扶壁俯視。
（©Harmonia Amanda,Wikimedia
Commons）

夏特大教堂立面的雕像。

夏特大教堂門擋上的聖者雕像。

　　過了大半個小時，太陽漸昇過屋面，殿內恢復一片平靜。我繞殿一周，仔細欣賞著名的玻璃畫。爬上屋頂，觀察扶壁上的風光。當然不能忘記北向大門的門廊上那些著名的雕刻。在我準備離開夏特的時候，正有一群年長的觀光客在導遊的帶領下，認真地欣賞著門擋上聖者的表情。

　　1986 年元旦，與幾位朋友結伴出國一遊，目的地是印度，那個神祕的國度。對於印度，我們知道得太少了。在地理位置上，她是中國的近鄰，但我們了解印度文明實不及我們了解西洋文明的十分之一。中國人所信奉的佛教來自印度，但在印度幾近絕跡。不論從哪個角度來看，中國與印度都是兩個極端。要在短短的幾天旅程中全盤了解是不可能的，只希望得到些親身體驗。

直接體驗宗教建築的空間，雖不足以理解一個神祕的文明，卻可以得到真實的感覺，因此我們的旅程規劃是以探訪宗教建築為主。印度是很大的國家，各地區域性很強，又經過回教的侵入，短期的旅程規劃並不容易。後來決定以中、北部的廟宇為探訪的對象，因為印度教的廟宇有明顯的北式與南式之分。

　　我們自加爾各答進入印度，先參觀了耆那教的廟宇，那是一個徹底不殺生的教派，使我們體會到印度文化中慈悲的本質。次日即搭機到東海岸中部的奧里薩省，廟宇的集中區，見識了印度民眾的宗教狂熱，也體驗了感人的古那拉克的太陽神廟[1]。該廟雖已部分傾塌，但仍能令人體會到印度教在建築空間上的基本精神。在石塊雕成的山一樣的廟宇

加爾各答耆那教帕雷什納特神廟（Pareshnath Temple）。（©Sushovanbasak, Wikimedia Commons）

　　　　　　　　　　　　　　　　　　　　　　　　繆思談片

古那拉克太陽神廟。（©Subham9423,Wikimedia Commons）　古那拉克太陽神廟鳥瞰。（©www.traveltra.com）

古那拉克太陽神廟基座側牆的車輪雕刻。
（©Subhrajyoti07,Wikimedia Commons）

古那拉克太陽神廟入口。（取材自 http://natureconservation.in/ 網站）

前，我驚訝於印度文明對永恆的渴望。印度人的生命特別短暫，他們相信生命輪迴，把死亡當成生命的一個過程。廟宇代表生命的終結處：是永恆的覺醒，也是神的殿堂。因此最自然的廟宇就是山，最自然的神居就是山洞。印度的廟宇使人多麼懼怕死亡，多麼希望超越死亡！

　　印度人的生命不但短暫，且大多生活在貧窮與苦難之中，對於嚴格階級化的低層民眾，信仰的精神生活的重要性遠超過對物質生命的期望。他們匍匐在山與洞的象徵之下，祈求短暫的幸福。我們的短暫旅程，自奧里薩搭機去西海岸

伊樂拉石窟寺。（©Ms Sarah Welch, Wikimedia Commons）

的孟買，見識到都市邊緣真正的貧窮。再搭機到內陸，參觀著名的伊樂拉石窟寺[2]，在印度人心裡，石窟才真正是神的居所。在這裡可以看出佛教與印度教本是同根生的信仰。當然，阿嚴塔的石窟寺[3]也在我們的行程之中。

自石窟寺探訪，乘車北上，通過回教帝國的華麗建設，

阿嚴塔石窟寺。（©Freakyyash, Wikimedia Commons）

鑿山石建成的凱拉薩神廟。（取材自 https://
w.thehopinion.com/ 網站）

阿嚴塔石窟寺。（取材自 Wikimedia Commons）

到新德里，接到了來自台灣的電報，限時要我回國。盤算著時間，只剩一天多，我要看點什麼呢？決定去卡傑拉霍，看看那裡名聞天下的印度教廟宇。我脫隊驅車，直奔卡傑拉霍，到那裡已是近午時分了。論氣勢，不如太陽廟與石窟寺，但自細緻處看，就無出其右了。車子停在一組神廟的前面，我立刻被這幾座人造的聖山所吸引。

典型的印度廟是由三座山所構成：門廊、廳堂、神殿。面東，一字排開，一座比一座高。在最後面的神殿最高。廟內的空間，順著次序，愈向後走，愈黑、愈暗、愈狹小。這是因為印度廟裡沒有神像，而是以黑暗的空間與男性生殖器的象徵為神。它的造型是山、空間是山洞，黑暗的恐懼與神力的崇拜混為一體。近午的陽光把山樣的廟身照得耀眼，愈顯得內部空間的黑暗。做為一個缺乏神祕信仰者，我幾乎要拒絕登上高台。可是千里迢迢而來，怎能不體驗一番神祕的宗教感覺呢。

　　卡傑拉霍聞名於世的，是這座由山頭組成的廟宇 4，通體由雕刻覆蓋著，我自黑暗的體驗中出來，在廟外繞行，觀賞這些豐滿的女體。一瞬間，在陽光的照射下，明暗對比不明的群像，又似一個模子的翻刻，又似人間的群像。它們究竟在表達什麼呢？它們是在歌頌神明、讚美生命？還是展現人類內心的欲念？我一邊拍照留念，一邊瞇起眼睛，試圖把這些女體看成菩薩的化身。

卡傑拉霍神廟。（取材自 https://www.culturalindia.net/ 網站）

卡傑拉霍古蹟群中的坎達里亞‧馬哈德夫寺（©Paul
Mannix, Wikimedia Commons）

坎達里亞‧馬哈德夫寺的情色石刻。（©Bhakura, Wikimedia Commons）

　　對於宗教空間的體驗，出乎預料的，是 1993 年的俄國
之旅。旅程中，旅行社不免安排了一些一般性的參觀活動，
可是我卻不時地感受到宗教建築在俄國文明中無所不在的影
響力。在東西對峙的冷戰時代，代表俄共的符號是一組洋蔥
頂的建築，被指為克里姆林宮的象徵。這座建築其實是名為
聖巴錫爾的大教堂 5，不過恰好在紅場的旁邊罷了，但藉由
教堂建築代表國家，代表共產政權，不是無意中顯示了宗教
的力量嗎？美麗又耀眼的洋蔥式屋頂，高懸的俄國城市的上
空，象徵俄國幾百年的歷史，他們的宗教與政治是無法分割
的。

　　莫斯科的外圍，距離　　‧二小時車程，有一連串的小
鎮，都是以修道院與教堂為中心的，稱為黃金圈圈，因為教
堂的洋蔥頂上都是金光閃閃的。在圈圈上有一特別重要的地
點，札格爾斯克，是俄國的聖城，聖三一修道院的所在地。
在這裡，我領教了俄國東正教的崇拜空間。聖三一修道院是
十五世紀，東正教傳播的中心。後來得到沙皇的崇信，遂成

莫斯科聖巴錫爾的大教堂。（©Julius Silver, Wikimedia Commons）

為國教。這裡也躍為精神的首都，為大主教的駐在所。其間歷時五世紀，逐漸建設為一個華麗而優美的聖城。俄國的修道院通常為了防衛，建有堡壘式的城牆與塔樓，聖三一亦不例外，傳至今天的各種形式的塔樓共十四座之多，與軍事基地無異。其實這裡自十七世紀開始就建有沙皇的行宮。

到達札格爾斯克，遠遠看到一群大大小小的金色、藍色洋蔥頂，伸著長長的頸子，飄浮在城牆與樹叢的上面，發出耀眼的光輝。這哪是修道院，簡直是夢中的遊樂園！俄國人為什麼發明這樣好玩的洋蔥頂作為教堂建築的象徵？雖說它源自東羅馬拜占庭建築的圓頂，為什麼到了斯拉夫人的手裡，頸子就不斷拉長，圓頂變成汽球似掉了重量。如果上面沒有十字架，誰會想到那是教堂？

在西歐，一座修道院通常只有一座大教堂，其中有很多小禮拜堂，其他的建築多是僧舍。可是在這裡，前後五個世紀建了大大小小 11 座教堂，每座教堂上都頂著一到五個不等的圓頂。我實在沒法理解修道院中為何要建那麼多教堂！到十八、九世紀，城外又加建了 3 座！這裡的主教堂是位於中央的聖母升天大教堂 6。建於十六世紀，有 5 個圓頂，中央的是金色，周邊四個則是藍色，上頭有金色的星星，由於體型最大，所以是聖三一的標誌。也是觀光客必到之處。沒想到，在外觀上不甚嚴肅的俄國教堂，內部空間卻給人無比的感動！

俄國人不是以堅實、素樸的感情來表達宗教的精神，而是以華美的空間來歌頌上帝。因此他們經營的不是石塊結構的殿堂，而是想像中的天界。走進教堂中，感到一陣空間的暈眩，因為在這裡看不到柱梁與牆壁，只有配著金色的彩畫，像一個虛擬的空間，飄浮著，沒有一絲重量。即使正面金光閃閃的聖像屏風也沒有足以使你駐足的作品，只能使人仰望，好奇地探索空間的奧祕。

札格爾斯克聖三一修道院。（©Dmitry Gazin）

遠遠看到聖三一修道院的一群大大小小的金色、藍色洋蔥頂。（©Dmitry Gazin）

札格爾斯克聖母升天大教堂。（取材自聖三一修道院網站 https://www.stsl.ru/languages/en/page7.php）

札格爾斯克聖母升天大教堂華麗的室內空間。（取材自聖三一修道院網站 https://www.stsl.ru/languages/en/page7.php）

　　我第一次體驗到在空間中失去方向的感覺，四周全是聖者的故事，或聖者的面容，在半陰暗的空間裡，散發出神祕的力量。你極力仰望，佈滿聖者畫像的高柱盡頭，是從圓頂透下的一些微光。中央的圓頂下，耶穌正用祂關愛的眼神俯視著我們。四邊的拱頂上，祂的門徒則向我們傳述著福音。我很高興有這使人感動的空間體驗。這是一個建築工程的科技上極為幼稚的空間，完全不符合建築的理論，因此以西方藝術史的主軸來看，俄國的宗教建築是不入流的，甚至沒有深入討論的價值。在厚厚的建築史教本中，並沒有俄國建築這一章。然而經過現場的體驗，我省悟到，空間的文化價值不存在於建築的理論中，而取決於我們的感受。也許我們真的應該跟著感覺走吧！

札格爾斯克聖三一修道院的鐘塔。（取材自聖三一修道院網站 https://www.stsl.ru/languages/en/page7.php）

編註

1 古那拉克的太陽神廟（Sun Temple, Konârak）由恒河國王那拉辛哈一世（Narasimha Deva I）於 1278 年建造，以紀念戰勝孟加拉的穆斯林軍隊。神廟設計成印度教太陽神蘇利耶（Sūrya）的戰車形狀。在圖畫中的戰車由七匹馬拉著，7 匹馬象徵 7 種脈輪，因此神廟建築中出現 12 個車輪雕飾，每個輪子直徑約 3 公尺，有許多代表季節和月份循環的象徵性圖案，建築壁體上的雕塑繁複精緻，其規模、精緻和構思見證了恒河帝國的國力與歷史的價值。透過這些雕塑的美學與敘事，可以了解那個時期的宗教、政治、社會和世俗生活。在軸線上配置了原有的舞廳（Nata Mandir）和飯廳（Bhoga-Mandap）已傾頹，留存一些廢墟。1984 年被指定為世界文化遺產。

2 伊樂拉或譯埃洛拉石窟（Ellora Caves）位在印度中部奧蘭加巴德（Aurangabad），公元六至十世紀在一座南北走向的火山岩山麓開鑿出佛教石窟共 12 座，印度教石窟有 17 座，耆那教石窟有 5 座，共計 34 座石窟，全長約兩公里。其中第 16 窟凱拉薩神廟（Kailasa Temple），石窟高達 33 公尺，長 50 公尺，建於公元八世紀晚期，是以一整塊的山石鑿鏤而成，耗時 150 年之久。1983 年登錄為世界文化遺產。

3 阿嚴塔石窟寺（Ajanta Caves）位在馬哈拉施特拉邦（Maharashtra）北部文達雅山的懸崖上，大約於公元前二世紀至公元後七世紀期間建造。1983 年登錄為世界文化遺產。

4 漢先生未明言在卡傑拉霍（Khajuraho）所走訪的印度廟，惟參考先前行程，推斷應該是 1986 年登錄為世界文化遺產的古蹟群（Khajuraho Group of Monuments），其係西元

950-1050 年之間由錢德勒王朝（Rajput Chandela Dynasty）所建，當時有 85 座寺廟，占地約 21 平方公里，如今倖存 25 座，其中最大的寺廟是供奉濕婆神的坎達里亞‧馬哈德夫寺（Kandariya Mahadeo Temple）。

5　聖巴錫爾大教堂意指「護城河上至聖聖母代禱主教座堂」，建於 1555 年至 1561 年，最初的構想是建造一群小禮堂，每一個禮堂代表一個聖人，寓意每到一個聖人的節日，沙皇就打贏一場戰鬥。1990 年列為世界文化遺產。

6　札格爾斯克聖三一修道院由五十多座不同的建築組成，被高 6 公尺、厚 3.5 公尺的牆圍繞，圍牆有 10 座塔樓護衛。這個初建於 1377 年的修道院，歷經火災與戰亂在牆內陸續興建了達 50 幢建築物，建於 1559 年至 1585 年的聖母升天大教堂是最大、最顯眼的建築，其位於修道院的中心。三一大教堂是修道院的主教堂，也是最古老的建築，建於 1422 年至 1423 年間，原本是木構造，毀於火災。鐘樓建於 1741 年至 1776 年之間，高達 88 米。1993 年被列為世界文化遺產。

擘畫科博＋打造宗博

《繆斯談片——漢寶德三談博物館》編後記／黃健敏

—

　　1977 年漢先生離開任教十年的東海大學建築系，赴中興大學擔任理工學院院長，1981 年以院長身分兼自然科學博物館籌備處主任，1986 年自然科學博物館開館，1993 年 8 月自然科學博物館全程四期建設完成。在建設過程中面臨諸多的困頓與挫折，在漢先生的回憶錄《築人間》的第九章與第十章有所記述。有鑑於當年台灣博物館界缺乏相關的學術研究與交流，乃創辦《博物館學季刊》，每期有專題，卷首語悉出自漢館長。1995 年辭自然科學博物館長，館方同仁將歷年的卷首文章輯為《博物館談片》，於 1995 年 9 月出版，1999 年 4 月再版，時隔二十餘年該書早已絕版。《博物館談片》有許多議題至今仍值得關切，而漢先生早年所提出的見地仍然甚有意義，為了不讓這些論評絕響，特重新整理並加配圖片，作為藝術札記漢寶德系列的出版品之一。

世界宗教博物館創館三人組，前哈佛大學世界宗教研究中心主任蘇利文博士，心道法師與紐約博物館設計公司 RAA 負責人奧若夫。（世界宗教博物館提供）

華府非洲裔美國人歷史暨文化博物館（National Museum of African American History and Culture）

洛杉磯日裔美國人紀念館的展示。

　　2002 年 3 月漢先生受聘為世界宗教博物館首任館長，在此之前宗教博物館曾請前哈佛大學世界宗教研究中心主任蘇利文博士（Dr. Lawrence E. Sullivan, 1947-）主導軟體研究，紐約博物館設計公司 RAA 負責硬體建設。蘇利文博士在宗教儀式的研究領域有多本專書問世，其中《Icanchu's Drum》一書獲得美國出版商協會和美國學術協會頒發的最佳圖書獎，他是《宗教百科全書》（Encyclopedia of Religion）十六卷的副主編。RAA[1]（Ralph Appelbaum Associates 之簡稱）於 1978 年成立於紐約，其業務廣及全球，在歐洲的倫敦、柏林，在亞洲的北京，在中東的杜拜都有分公司。RAA 在美國較知名的項目包括華府猶太浩劫博物館（The United Stated Holocaust Memorial Museum）、華府非洲裔美國人歷史暨文化博物館（National Museum of African American History and Culture）、紐約市的美國自然史博物館羅斯中心（Rose Center, American Museum of Natural History, New York City）、洛杉磯日裔美國人紀念館等。

　　對於蘇利文博士與 RAA 合作的成果，漢先生很讚許[2]，但是從推廣生命教育的立場，精彩的展示內容有些深奧曲高，

漢先生認為建築是無聲的語言，是精神的象徵，為了體現宗教精神的靈魂所在，因此構思藉由宗教建築模型讓觀眾認識宗教，進一步對宗教產生興趣，從而學習瞭解宗教的文物與內涵，這就是「虛擬聖境──世界宗教建築縮影」誕生的背景。繼十座世界宗教建築縮影之後，其實漢先生還另規劃了二十世紀現代宗教建築與台灣宗教建築兩個系列。二十世紀現代宗教建築只完成了萊特（Frank L. Wright, 1867-1959）的唯一教派教堂（First Unitarian Society of Madison, Shorewood Hills, Wisconsin, 1949-1951），柯比意（Le Corbusier, 1887-1965）的廊香教堂（The Chapel of Notre-Dame-du-Haut in Ronchamp, 1950-1955）與在麻省理工學院由沙利寧（Eero Sarrinen, 1901-1961）所設計的教堂（MIT Chapel, 1955-1956）。台灣宗教建築是漢先生離開之後執行的，計有台北艋舺龍山寺，鄒族男子會所「庫巴」與屏東萬金聖母聖殿等三件。這六件建築模型起自2006年，以每年一件的方式收藏，迄至2011年終止。

除了「虛擬聖境──世界宗教建築縮影」常設展之外，漢先生曾規畫多項特展，其中特別記述值得一提的兩個特展

萊特的唯一教派教堂。

柯比意的廊香教堂。

沙利寧的麻省理工學院教堂。

台北艋舺龍山寺。

：「山西彩塑造像展」與「一幅畫的展覽」。前者在《保存生活：漢寶德談鄉土與藝術》書中〈淺談玩泥巴文化的保存〉一文可參閱之（藝術札記28漢寶德系列之七，2019年11月典藏藝術出版），後者在自然科學博物館的《博物館談片》有相關的文章論及。2008年3月漢先生離開世界宗教博物館，引為遺憾的是沒有在任內完成敦煌石窟第61窟「文殊堂」的複製，該窟的西壁有五台山大佛光寺的壁畫。在世界宗教博物館六樓電梯廳入口右側，漢先生特規畫設立以孩童為對象的「奇幻獸」展區，這涉及他對美感教育的目標。漢先生曾呼籲我們需要一座兒童美術館[3]，在世界宗教博物館他邁出了一小步，其所涉及的課題值得爾後有機緣予以更進一步地探討記述。

> 「本館的使命與經營方向是要使社會大眾逐漸理解
> 宗博的建館理念，接受愛與和平的召喚，使現世的
> 人間社會，在崇高精神的引導下，充滿了和樂與幸
> 福。

在現代社會中，這是重責大任。宗博立足於本土，要勇敢的對在地民眾負起這個責任。今天是一個心靈動盪，未來不明確的時代。要重建人間的和諧秩序，重獲心境的平安，正是教育家努力的目標。宗博力量微小，所能貢獻者有限，但我們願意做一個揮動大旗的先導者。

新時代博物館的共同趨向：為孩子們服務。我們希望在學的孩子們能夠自宗博的展示中體會到生命的意義，即使是一絲輕微的珍惜生命的感覺也是有價值的，對他們的一生會造就重大的影響。

宗博不是宗教組織，不是神殿，不是廟宇，而是認識生命價值的殿堂。我們鍥而不捨的發出呼喊，希望喚醒沉溺在憂鬱不安中的眾生，認識生命，尊重生命，做一個有尊嚴，有愛心，富於人性的人。」
這是漢先生對打造宗教博物館所揭櫫的理念。

無論是自然科學博物館，或是世界宗教博物館，作為兩館的館長，以身為博物館長兼建築師的雙重身分，漢先生的所言所為，透過《繆斯談片：漢寶德三談博物館》一書的內容，闡釋呈現了對博物館的宏志鴻圖！

編註

1　可參閱2002年10月《建築師雜誌》第334期，「RAA——與真相的對話」特輯，以瞭解RAA的設計理念與業務實績。

2　關於漢先生與世界宗教博物館的種種淵源，可參閱《築人間——漢寶德回憶錄》（全新增訂版）第十四章，天下遠見出版社，2012年9月。

3.　可參閱《漢寶德談藝術教育》書中〈我們需要一座兒童美術館〉一文，漢寶德系列之二，藝術札記9，2006年3月典藏藝術出版。

鄒族男子會所「庫巴」。

屏東萬金聖母聖殿。

藝術札記**32**
漢寶德系列之十一

繆思談片
漢寶德三談博物館

作者　　漢寶德
主編　　黃健敏
編輯　　魏麗萍
設計　　王新宜
行銷　　葉晞、黃鈺佳

· 本書圖片除圖說特別註明外，皆為黃健敏攝影提供。

發行人　　簡秀枝
出版者　　典藏藝術家庭股份有限公司
地址　　　104003台北市中山北路一段85號7樓
電話　　　886-2-2560-2220
傳真　　　886-2-2567-9295
Email　　books@artouch.com
網址　　　www.artouch.com
劃撥帳號　19848605典藏藝術家庭股份有限公司

總經銷　　聯灃書報社
地址　　　103016台北市重慶北路一段83巷43號
電話　　　886-2-25569711

印刷　　　崎威彩藝
初版　　　2023年4月
ISBN　　　978-626-7031-68-1
定價　　　新台幣480元

國家圖書館出版品預行編目

繆思談片：漢寶德三談博物館 / 漢寶德著.
-- 初版.-- 臺北市：典藏藝術家庭股份有限公司, 2023.04
248面；17×23公分.--（藝術札記；32）（漢寶德系列；11）
ISBN 978-626-7031-68-1（平裝）
1.CST: 博物館 2.CST: 博物館學 3.CST: 文集

069.07　　　　　　　　　　　　112003036